Le tricot

Des accessoires élégants

Barbara W. Larson

Broquet

97-B, Montée des Bouleaux, Saint-Constant, Qc, Canada J5A 1A9,
Internet: www.broquet.qc.ca   Courriel: info@broquet.qc.ca
Tél.: 450 638-3338   Téléc.: 450 638-4338

Creative Homeowner® est une marque déposée de
Federal Marketing Corp.

Catalogage avant publication de Bibliothèque et Archives nationales
du Québec et Bibliothèque et Archives Canada

Larson, Barbara W.

    Le tricot

    (Inspiration artistique)
    Traduction de: Knit style.
    Comprend un index.

    ISBN 978-2-89000-994-3

    1. Tricot - Modèles. 2. Vêtements - Accessoires - Modèles.
3. Tricot. I. Titre. II. Collection.

TT825.L3714 2008   746.43'2041   C2008-940677-X

**Pour l'aide à la réalisation de son programme éditorial, l'éditeur
remercie:** le gouvernement du Canada par l'entremise du Programme
d'aide au développement de l'industrie de l'édition (PADIÉ); la Société
de développement des entreprises culturelles (SODEC); l'Association
pour l'exportation du Livre Canadien (AELC); le gouvernement du
Québec – Programme de crédit d'impôt pour l'édition de livres
– Gestion SODEC.

Titre original: Knit style
© Creative Homeowner, 2006. All rights reserved.
This french edition first published by © Broquet Inc, 2008.

Pour la version en langue française:

Traductrice: Anne-Marie Courtemanche
Relecture: Diane Gagnon, Lise Lortie
Infographie: Nancy Lépine

Copyright © Ottawa 2008
Broquet inc.
Dépôt légal — Bibliothèque nationale du Québec
3e trimestre 2008

Imprimé en Malaisie

ISBN 978-2-89000-994-3

Dédicace

À ma si précieuse famille, avec un merci tout spécial à mon mari, Andy,

dont le soutien sans faille est la confirmation que aimer est à n'en pas douter un verbe.

Table des matières

Introduction

Tricoter fait partie des grands plaisirs de la vie; c'est aussi un véhicule d'expression artistique de choix. Grâce au tricot, il est possible de combiner couleurs et textures dans le but de créer de magnifiques vêtements. Dans le livre *CRÉEZ VOS TRICOTS* vous découvrirez plus de 25 accessoires uniques, chacun tricoté avec les fils les plus populaires et regroupés en une collection. Cette section présente les grands favoris de la mode, dont une écharpe caressante débordant de pompons, un boléro avec col et manchettes en fausse fourrure, un poncho douillet, une sacoche originale en grosse laine, et beaucoup plus. Chaque accessoire tricoté est accompagné d'une variation stylistique, ce qui vous donne encore plus de choix de styles pour compléter votre garde-robe.

CRÉEZ VOS TRICOTS présente les indispensables bases du tricot qui vous donnent les informations essentielles à des expériences de tricot réussies.

Vous découvrirez, grâce à *CRÉEZ VOS TRICOTS*, qu'il est vraiment valorisant d'utiliser ses mains pour tricoter des fibres qui deviendront de très beaux et très pratiques vêtements et accessoires; ce n'est pas transformer la paille en or, mais c'est tout proche.

Barbara W. Larson

La collection

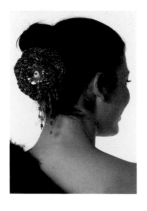    

Épinglette gardénia rose
un accessoire polyvalent !

Créer un accessoire fleuri – quel plaisir ! Même si nous avons choisi pour ce projet des fils et perles spécifiques, ne vous empêchez pas d'exprimer votre propre style. Utilisez vos restes de fil à tricoter et de perles pour réaliser cette création unique. Il n'existe pas de bonne façon de créer une fleur ; en fait, il n'y aura jamais deux fleurs identiques, et c'est tant mieux ! En plus de constituer une jolie épinglette, cette création peut être utilisée dans les cheveux, sur un chapeau ou comme ornement sur une ceinture. Vous souhaiterez peut-être même la miniaturiser, en réaliser deux et en décorer vos chaussures.

NIVEAU DE DIFFICULTÉ
Débutant

MESURES
Environ 11 cm (4,5 po) de diamètre

FOURNITURES
- 55,5 m (61 verges) mélange microfibre de rayonne/laine de poids moyen rose (A)
- 140 m (153 verges) nylon de poids léger de couleur cantaloup (B)
- 75 m (82 verges) nylon de poids léger, mélange de rouge (C)
- Paire d'aiguilles 6 mm (n° 10)
- Aiguille à tapisserie
- Aiguille à coudre et fil assorti
- Un bouton de 4 cm (1,5 po)
- Un dos d'épinglette
- Facultatif : perles, aiguille à enfiler et fil.

ÉCHANTILLON
En jersey end., aiguilles 6 mm (n° 10)
3 mailles = 2,5 cm (1 po). Ajustez la grosseur de vos aiguilles pour obtenir la grandeur de l'échantillon.

ABRÉVIATIONS
Voir page 83.

ÉPINGLETTE

Pétales (en faire 3)

Avec le fil A, montez 3 mailles et laissez un bout de 12,5 cm (5 po).

Rang 1 : tricotez end.

Rang 2 : tricotez env.

Rang 3 : 1 m.end., aug. 1 m., 1m. end., aug. 1 m. 1m. end. [5 m.]

Rang 4 : 1 m. env. aug. 1m., tricotez env. jusqu'à une maille du bord aug.1 m. et terminez le rang. [7 m.]

Rang 5 : 1 m.end., aug. 1 m., tricotez jusqu'à 1 m. du bord., aug. 1m. [9 m.]

Rang 6 et tous les rangs end. : Tricotez env.

Rangs 7, 9, 11, 13, 15, 17, 19 et 21 : 1 m. end., aug. 1 m. tricotez jusqu'aux dernières 2 m., aug. 1m. 1 m. end. [25 m. jusqu'au rang 21]

Rang 23 : Tricotez end.

Rang 24 : 1 m. env., 2 m. env. ens., tricotez env. jusqu'aux dernières 3 m., 2 m. env. ens., 1m. env. [23 m.]

Rang 25 : 1 m. end., 2 end. ens., tricotez end. jusqu'aux dernières 3 m., 2 m. end. ens., 1 m. end. [21 m.]

Rangs 26 à 33 : Rép. les rangs 24 et 25. [5 m. après rang 33]

Rang 34 : 1 m. env., 2 m. env. ens., 2 m. env. [4 m.]

Rang 35 : 1 m. end., 2 m. end. ens., 1 m. end. [3 m.]

Rab., laissez un bout de fil mesurant 12,7 cm (5 po).

FINITION

1. Enfilez le bout du fil dans l'aiguille à tapisserie et, à l'aide d'un point avant, cousez le centre de la pétale vers le côté où les mailles sont montées.
2. Tirez le bout du fil pour que le pétale soit plissé, puis faites un nœud pour le fixer.
3. Disposez les pétales en tenant les bouts ensemble, puis fixez-les à l'aide du fil B.
4. Donnez une forme aux pétales à votre goût et à l'aide d'une aiguille à coudre les fixer en position sur l'envers.
5. Réalisez un gland de 5 cm (2 po) à l'aide des fils B et C, puis fixez-le au centre de la fleur.
6. Cousez le bouton au centre de la fleur, sur le gland, et embellissez, au goût.
7. Cousez un endos d'épinglette au dos de la fleur et ajoutez une goutte de colle pour bien la fixer en place

Variation de style

Les embellissements floraux sont partout ! Sur les chapeaux, les sacs, les écharpes et les ceintures. Pour créer un style de designer, attachez des fleurs miniatures de couleurs coordonnées à vos chaussures. N'oubliez pas – tout réside dans les détails.

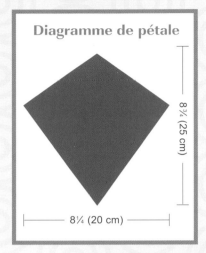

Diagramme de pétale

8¾ (25 cm)

8¼ (20 cm)

ASTUCE

Utilisez de plus petites aiguilles et du fil à tricoter plus petit pour créer une version plus délicate.

Collier en dentelle

avec attaches en ruban

L'écharpe en dentelle est travaillée au point de riz, ce qui ajoute une texture intéressante à la portion entourant le cou. Les longues attaches en ruban de plusieurs couleurs bariolées attachées avec des perles peuvent être portées chaque côté du cou ou tomber gracieusement sur le chemisier. Peu importe où ils sont installés, ces rubans teints à la main seront magnifiques.

NIVEAU DE DIFFICULTÉ
Débutant

MESURES
- Longueur : 30 cm (10 po), excluant les perles et attaches
- Largeur : 10 cm (3,5 po)

FOURNITURES
- 76 m (83 verges) mélange de nylon/microfibre poids lourd, couleur orange brûlé (50 g) (A)
- 116 m (127 verges) coton de poids moyen de couleur violette (50 g) (B)
- 91 m (100 verges) nylon de poids très lourd multicolore (86 g) (C)
- Paire d'aiguilles 5,5 mm (n° 9)
- Deux barrettes de perles à trois trous de 25 x 5 mm
- Six perles rondes de 10 mm
- Crochet
- Enfile-aiguilles

ÉCHANTILLON
Un carré de 10 cm (4 po) = 14 m. et 22 rangs, point de riz, aig. n° 9 (5,5 mm). Ajustez la grosseur de vos aiguilles pour obtenir la grandeur de l'échantillon.

ABRÉVIATIONS
Voir page 83.

COLLIER EN DENTELLE

En utilisant la couleur A, monter 11 m.

Rangs 1 et 4 : 1 m. end., *1 m. env., 1 m. end. ;
rép. de *jusqu'à la fin.

Rangs 2 et 3 : *1 m. env., 1 m. end. ;
rép. de *jusqu'à la dernière m., 1 m. env.

Rangs 4 à 64 : Rép. rangs 1 à 4.

Rang 65 : Rép. rang 1.

Finir en rabattant les mailles

BORDURES DU HAUT ET DU BAS

Décidez du côté qui sera l'end., et marquez-le à l'aide
d'une épingle de sûreté.

Avec la couleur B et le côté end. Face à vous,
montez 42 m. tout le long de la lisière.

Rang 1 : Tricotez end.

Rang 2 : Tricotez env.

Finir en rabattant les mailles

Répéter sur la lisière opposée.

BORDURES DES CÔTÉS

Avec la couleur B et le côté end. face à vous, prenez 12 m.
dans la lisière de côté, en incluant les bordures du haut et du bas.

Rang 1 : Tricotez end.

Rang 2 : Tricotez env.

Finir en rabattant les mailles

Répéter sur le côté opposé.

ATTACHES EN RUBAN

Coupez six longueurs de fil C de 152 cm (60 po). Attachez trois
franges à chaque extrémité. Enfilez les franges dans la barrette de
perles. Faites un nœud proche de la perle pour la fixer en position ;
puis, enfilez une frange dans chaque perle ronde,
puis fixez-les aussi à l'aide de nœuds.

Variation de style

*L'écharpe présentée ici est suffisamment longue pour
être porté comme ceinture. Les couleurs pures des
perles qui l'ornent en font un complément parfait
à une jupe de velours violet. Laissez la ceinture tomber
légèrement sous votre taille, puis attachez les rubans
en boucle souple.*

Béret classique

peu importe la saison

Un béret classique prend toujours un petit air contemporain lorsqu'il est porté de façon décontractée. Tricoté en rond, le mélange de cachemire doux rend le béret des plus confortables. Portez-le avec un blouson en cuir ou avec un chandail à col roulé et un pantalon. Ou tricotez-le d'une couleur qui s'harmonisera à un manteau habillé.

NIVEAU DE DIFFICULTÉ
Intermédiaire

MESURES
Diamètre : 25,5 cm (10 po),
après mise en forme
Tour de tête : 55,5 à 60,5 cm
(20 à 25 po)

FOURNITURES
- 154 m (168 verges) cachemire
  ou mélange de cachemire de poids
  moyen de couleur chameau (40 g)
- Une aiguille circulaire 4,25 mm
  (n° 6) de 40,5 cm (16 po)
- Ensemble de cinq aiguilles
  double-pointe 4,25 mm (n° 6)
- Six marqueurs de maille
- Aiguille à tapisserie

ÉCHANTILLON
Un carré 10 cm (4 po) = 18 m. et 30 rgs,
jersey endroit, aiguilles 4,25 mm (n° 6).
Ajustez la grosseur de vos aiguilles
pour obtenir l'échantillon.

ABRÉVIATIONS
Voir page 83.

BÉRET

Avec l'aiguille circulaire et le fil A, montez 76 mailles.
Marquez le début du tour avec le marqueur de maille
et joignez en prenant soin de ne pas torsader les mailles.
Tour 1 : *1 m. end., 1 m. env. ; rép. à partir de *jusqu'à la fin du tour.
Rép. tour 1 sur 4 cm (1½ po).
En jersey endroit : *1 m. end., aug. 1 m.,
rép. de *jusqu'à la fin du tour. [114 m.]
Travaillez en jersey endroit (tricotez end. tous les tours)
jusqu'à ce que la pièce mesure 11,5 cm (4½ po) à partir du début.
Placez 5 anneaux marqueurs de plus tout autour (tous les 19 m.).

COURONNE (SOMMET)

Rang 1 : Dim. 1 m. (surjet simple), tricotez end. jusqu'aux anneaux
marqueurs et dim. 1m. [six fois] (6 m. diminuées)
Rang 2 : End.
Rép. les 2 derniers rangs (10 fois)
Il reste 48 m.
Changez l'aiguille circulaire pour les aiguilles à double-pointe parce
qu'il reste peu de mailles.
Répétez les dim. à tous les rangs jusqu'à ce qu'il ne reste que 6 m.
[2 m. end. ens, 1 m. end.] deux fois. Il reste 4 m.
Ne coupez pas le fil.

NŒUD SUPÉRIEUR

Gliss. toutes les m. sur une aiguille. *Faites glisser l'ouvrage jusqu'au
bout droit de l'aig., tricotez 4 m. end. ; rép. de *jusqu'à ce que
la corde mesure 9 cm (3½ po) de long.
Coupez le fil et tirez-le à travers les m. restantes.

FINITION

Fixez le nœud supérieur à l'aide d'un nœud d'arrêt.
À l'aide de l'extrémité du fil, fixez-le en position, sur l'envers.
Humectez légèrement le béret et étirez-le sur une assiette
de 25,5 cm (10 po) ; laissez sécher complètement.

Variation de style

Le béret présenté est si polyvalent qu'il peut être

porté aussi bien avec une tenue élégante qu'avec

une tenue décontractée. Ici, on l'a agencé à une

veste jean et à un col roulé, très décontracté.

La couleur chameau pâle du béret et le vert du

chandail s'harmonisent merveilleusement bien.

*Le nœud supérieur complète la spirale du béret.
Pour un style plus tendance, remplacez le nœud
par un pompon de couleur complémentaire.*

ASTUCE

Il est tout particulièrement important de réaliser
un échantillon étant donné que ce béret est ajusté.

Collier à trois rangs

pour orner le cou de délicates perles

Vous réaliserez trois colliers différents, qui peuvent être portés ensemble – enroulés, attachés, noués – ou seul. Ils peuvent être portés avec presque tout, de la soie au denim. On peut même les porter en ceinture. Ce style multi-étagé est tout à fait à la mode avec sa couleur blanche et ses ornements de perles.

NIVEAU DE DIFFICULTÉ
Débutant

MESURES
- Longueur finale :
  Collier n° 1 : environ 210 cm (80 po)
  Collier n° 2 : environ 80 cm (30 po)
  Collier n° 3 : environ 160,5 cm (65 po)

FOURNITURES
- 150 m (163 verges) mélange de rayonne/polyester de poids moyen, de couleur blanche (100 g) (A)
- 140 m (153 verges) nylon de poids léger, de couleur blanche (50 g) (B)
- 87 m (95 verges) mélange rayonne/coton/nylon de poids lourd, de couleur écrue (50 g) (C)
- Aiguille 3,75 mm (n° 5) et 1 aiguille circulaire 5,5 cm (n° 9) de 60 cm (24 po)
- Aiguille à coudre (qui pourra être insérée dans les perles de toutes les tailles)
- Un écheveau de fil à broder à six brins, blanc
- Fausses perles :
  80 perles rondes blanches, 10 mm 30 perles rondes crème, 10 mm 30 perles d'eau douce crème, 5 mm 150 perles rondes crème, 5 mm

ÉCHANTILLON
- Collier n° 1 : 10 cm (4 po) = 17 mailles avec point jersey, aiguilles 5,5 mm (n° 9) (ou ajustez la grosseur de vos aiguilles pour obtenir l'échantillon).
- Collier n° 2 : 10 cm (5 po) = 25 mailles en côte 1/1, aiguilles 3,75 mm (n° 5) (ou ajustez la grosseur de vos aiguilles obtenir l'échantillon).

ABRÉVIATIONS
Voir page 83.

COLLIER N° 1

Avec une aiguille 5,5 mm (n° 9) et les couleurs A et B retenus ens., montez 350 m. Travaillez deux rangs en p. jersey end. (tricotez end. sur l'end., tricotez env. sur l'env.). Rab. gliss. 1 m. end.

FINITION

Le point jersey va boucler pour former un tube du côté envers à l'extérieur. À l'aide d'une aiguille et d'un brin de fil à broder, fixez les perles blanches de 10 mm aléatoirement à l'endroit du collier, en faisant des nœuds à l'intérieur du tube. Montez en cousant et en rapprochant les côtés rabattus pour refermer le tube, si désiré.

COLLIER N° 2

En utilisant une aiguille 3,75 mm (n° 5) et un brin de couleur B, montez 200 m.
Rang 1 : *1 m. end., 1 m. env. ; rép. de *jusqu'à la fin du rang.
Rab. 1 m. end. gliss.

FINITION

Coupez une longueur de 15 cm (6 po) de brin de fil à broder pour chaque perle crème de 10 mm. Avec l'aiguille, enfilez une perle sur le brin puis faites-la glisser jusqu'au centre ; faites des noeuds aux deux extrémités à 2,5 cm (1 po). Fixez-les en nouant les extrémités uniformément sur toute la longueur du collier et en tissant les extrémités. Si désiré, cousez des perles sur les bouts de fil de chaque extrémité.

COLLIER N° 3

Remarque : Aucun tricot nécessaire.
Coupez une longueur de 36,5 cm (12 po) de fil C.

> ## ⟪ASTUCE⟫
> Pour faciliter la mise en place des perles, cirez le fil.

Variation de style

Les rangs du collier sont amusants à porter en ceinture, ensemble ou séparés. Portez la ceinture plus épaisse qui s'apparente à une corde de couleur contrastante avec un pantalon. Ou encore, pour un style plus subtil, portez un rang étroit à la taille d'une longue robe ou jupe blanche.

FINITION

Prenez un brin de fil à broder et des perles de 4 mm pour coudre des grappes de 3 à 5 perles le long du ruban à l'aide d'un point devant entre chaque grappe ; tirez le fil sur 5 cm de ruban (2 po). Fixez les grappes à l'aide d'un point arrière. Cousez de plus grosses grappes avec des perles de 7 mm et de 4 mm.

Un trio de rangs tricotés est accentué de perles lustrées

Écharpe spiralée

pour un style des plus féminins

Tire-bouchonnée, spiralée et ondulée. Voilà trois adjectifs qui décrivent très bien cette écharpe. Et puisqu'elle est très longue, elle est d'autant plus polyvalente. Enroulez-la autour de votre cou en faisant seulement quelques tours ou tout plein de tours pour que le tissu tricoté s'enroule souplement autour de votre cou. Vous pouvez aussi la combiner à une autre écharpe tricotée mais plus étroite de couleurs semblables pour créer un style superposé sophistiqué.

NIVEAU DE DIFFICULTÉ
Débutant

MESURES
- Longueur : 140 cm (55 po), du côté ou les mailles sont montées
- Largeur : 7,5 cm (5 po)

FOURNITURES
- 100 m (110 verges) mélange de coton/nylon de poids moyen, de couleur beige (50 g)
- 80,5 m (88 verges) rayonne de poids moyen, de couleur céleri (55,5 g)
- 140 m (150 verges) nylon de poids léger, de couleur vert lime (50 g)
- Une aiguille circulaire 6 mm (n° 10) de 91,5 cm (36 po)
- Aiguille à tapisserie

ÉCHANTILLON
4 po (10 cm) = 16 m. avec point jersey sur aiguilles n° 10 (6 mm) (ou ajustez vos aiguilles pour obtenir l'échantillon).

ABRÉVIATIONS
Voir page 83.

ÉCHARPE

Avec les couleurs A et C retenus ens., mont. 110 m.
Laissez tomber A et C.
Rang 1 : Avec B, tricotez env.
Rang 2 : Avec C, tricotez end. aug. 1m. dans chaque m. [220 m.]
Rang 3 : Avec C, tricotez env.
Rang 4 : Avec A, tricotez end.
Rang 5 : Avec B, tricotez end.
Rang 6 : Avec B, tricotez env.
Rang 7 : Avec C, tricotez end. aug. 1 m. dans chaque m. [440 m.]
Rang 8 : Avec C, tricotez env.
Rangs 9 et 10 : Avec A, tricotez end.
Rab. 1 m. env. gliss. avec A.

Variation de style

L'écharpe spiralée est un accessoire très polyvalent, facile à réaliser et idéal peu importe la saison. Bien sûr, vous pouvez la porter comme écharpe d'intérieur ou d'extérieur. Légère et drapée, l'écharpe peut être portée à la place d'un collier. Enroulez-la négligemment autour du cou en laissant la plus longue partie tomber sur le devant. Ou portez-la sur une robe sans bretelles, modèle nid d'abeilles. Enroulez-la autour du cou sur une blouse souple de couleur similaire, ou avec un blazer de couleur contrastante. Pour obtenir un look superposé, agencez-la à une autre écharpe (tel qu'illustré sur la photo). Lorsque la seconde écharpe est d'une couleur similaire, les écharpes joueront de textures. Ajoutez un long collier en perles pour une touche finale scintillante.

ASTUCE

Utilisez une longue aiguille circulaire pour pouvoir réaliser un grand nombre de mailles.

Lorsque vous changez de fil, laissez des queues de 15 cm (6 po) comme frange.

Écharpe extralongue

avec pompons

À bas les déprimes hivernales grâce à cette joyeuse écharpe ultra chaude et réconfortante. Tout ce qui la compose est amusant! Ses couleurs vibrantes, son épaisseur et ses pompons la rendent irrésistible. Et parce qu'elle rapetisse progressivement pour atteindre son point le plus mince au milieu, vous pouvez l'embobiner autour de votre cou sans ressentir de lourdeur.

NIVEAU DE DIFFICULTÉ
Débutant

MESURES (après le feutrage)
- Longueur : environ 215,5 cm (80 po)
- Largeur : environ 30 cm (10 po) aux extrémités et 10 cm (4,25 po) au centre

FOURNITURES
- 600 m (660 verges) mélange de laine/acrylique de poids très lourd, de couleur framboise (50 g) (A)
- 140 m (153 verges) chacun, mélange de laine/acrylique de poids très lourd, de couleur rose foncé (B) et citrouille (C) (140 g)
- Paire d'aiguilles 12 mm (n° 17)
- Compteur de rang
- Aiguille à coudre et fil assorti
- Pour le feutrage : lessiveuse, ruban à mesurer, sac-filet, détergent à lessive, serviette non pelucheuse

ÉCHANTILLON
Un carré de 10 cm (4 po) = 7 m. et 7,5 rgs côte 3/1, avant le feutrage
Un carré de 10 cm (4 po) = 7 m. et 7,5 rgs trois mailles à l'endroit, une maille côtelée à l'envers avec deux brins de fil A tenus ensemble sur des aiguilles n° 17 (12 mm), avant le feutrage (ou ajustez vos aiguilles pour obtenir l'échantillon).

ABRÉVIATIONS
Voir page 83.

ÉCHARPE

Avec des aiguilles 1 mm (n° 17) et deux brins de couleur
A retenus ens., mont. 23 m.

Rang 1 : (3 m. end., 1 m. env.) cinq fois, 3 m. end.

Rang 2 : (3 m. env., 1 m. end.) cinq fois, 3 m. env.

Rangs 3 à 36 : Rép. les rangs 1 et 2.

Rangs 37, 45, 53, 61, 69 et 77 : dim. avec un surj. s., tricotez en côte jusqu'aux deux dernières m., 2 m. end. ens. [11 m. après le rang 77]

Rangs 38 à 44, 46 à 52 m, 54 à 60, 62 à 68, 69 à 76, et 78 à 140 : Tricotez les côtes comme les mailles se présentent.

Rangs 141, 149, 157, 165, 173 et 181 : Tricotez end. aug. 1.m., tricotez côtes jusqu'à la dernière m., aug. 1 m.[23 m. après le rang 181]

Rangs 142 à 148, 150 à 156, 158 à 164, 166 à 172, et 174 à 180 : Tricotez m. côtes comme les mailles se présentent, en incorporant les m. ajoutées dans le modèle de côtes.

Rang 182 : Rép. rang 2.

Rangs 183 à 214 : Rép. rang 1-2.

Rang 215 : Rép. rang 1.

FINITION

Réalisez 10 pompons* avec du fil B et C, comme suit : quatre de 7,5 cm (3 po); six de 5 cm (2 po).

Réalisez 10 nattes pour les pompons, comme suit :

1. Coupez quatre longueurs de 30,5 cm (12 po) et six longueurs de 25,5 cm (10 po) des fils B et C.

2. Avec un brin de chaque couleur, fixez les franges. (Voir le diagramme.)

3. Il y aura quatre extrémités. En tenant ensemble deux extrémités, tressez les longues franges de 7,5 cm (3 po), et les franges les plus courtes de 5 cm (2 po); puis nouez les extrémités.

4. Cousez les courtes tresses aux petits pompons et les longues tresses aux gros pompons. Pour obtenir des instructions détaillées, consultez la page 21.

consultez la page 21.

ASTUCE

Parce que vous augmenterez et diminuerez le nombre de mailles des rebords extérieurs de l'écharpe, maintenez un rapport de 3 pour 1 maille côtelée lorsque vous ajoutez des mailles. Jetez souvent un coup d'oeil au patron pour découvrir rapidement une erreur, le cas échéant. L'utilisation d'un compteur de rangs est donc indispensable pour ce projet.

Diagramme de l'écharpe

4¼ po (10 cm)

40 po (105,75 cm) moitié de la longueur de l'écharpe

4¼ po (10 cm)

10 po (30 cm)

Positionnement des pompons

CÔTÉ GAUCHE À L'AVANT

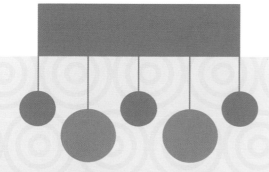

CÔTÉ DROIT À L'AVANT

La polyvalence de cette écharpe n'est qu'un de ses nombreux attraits. Parce qu'elle est très longue, il est facile de l'enrouler autour du cou de bien des façons. Elle peut être enroulée une seule fois autour du cou pour que ses longueurs tombent le long du corps. Elle peut aussi être enroulée deux fois autour du cou pour que les pompons se retrouvent au-dessus de la taille. Ou pliez tout simplement l'écharpe en deux, déposez-la sur vos épaules et passez les deux extrémités dans l'anneau pour permettre aux pompons de se dandiner au-dessus de votre taille. Une autre façon amusante de porter l'écharpe est de l'enrouler en plusieurs tours autour du cou jusqu'à ce que les pompons se retrouvent en cascade au niveau de la gorge.

Variation de styles

Il existe un nombre infini de moyens de porter cette longue écharpe. Expérimentez les enveloppements qui vous plaisent !

Un moyen facile de créer un pompon

Les pompons de cette écharpe créent un mouvement coloré lorsqu'elle est portée.

1. Enroulez 30 fois du fil autour d'une carte bancaire, par exemple. Faites glisser l'écheveau de la carte. Enroulez et nouez une longueur de fil autour de l'écheveau pour l'attacher. Répétez pour créer trois pompons de plus.

2. Aplatissez et empilez deux pompons, leurs centres l'un par-dessus l'autre. Utilisez une aiguille à tapisserie sur laquelle du fil est enfilé pour coudre les centres des deux pompons ensemble.

3. Déposez les pompons cousus debout. Déposez un troisième écheveau sur les deux premiers et cousez-le aussi. Répétez pour ajouter un pompon de l'autre côté.

4. Coupez tous les anneaux de fil à l'aide d'un ciseau, puis tout autour pour créer une balle uniforme.

corail et gris

Cache-cou

une élégance décontractée en trois styles

Vous adorerez les couleurs et textures de ce cache-cou intelligent. Le mélange de cachemire gris et de mohair très fin de couleur corail produit un accessoire qui est aussi appétissant que joli à regarder. Il peut être porté de plusieurs façons, y compris comme bustier ajusté, en fonction de votre humeur.

NIVEAU DE DIFFICULTÉ
Intermédiaire

TAILLES
S/M/G/TG

MESURES
- Longueur (incluant les bordures) : 16/16/17,5/17,5 po (40,5/40,5/44,5/44,5 cm)
- Largeur (en parallèle avec le côté supérieur) : 26/28,75/31,5/34,25 po (66/73/80/87 cm)

FOURNITURES
- 168 (252, 336, 336) verges [154 (231, 308, 308) m] cachemire ou mélange de cachemire de poids moyen de couleur charbon (40 g) (A)
- 275 verges (250 m) mélange de mohair super fin de couleur corail (25 g) (B)
- Paire d'aiguilles n° 7 (4,5 mm), n° 10 (6 mm, n° 11 (8 mm), n° 13 (9 mm), n° 15 (10 mm) et n° 17 (12 mm)
- Aiguille auxiliaire à torsades
- Un crochet à crocheter C/2 (2,5 mm)
- Neuf boutons de 16 mm (⅝ po)
- Aiguille à tapisserie
- Fil à coudre et fil assorti

ÉCHANTILLON
10 cm (4 po) = 13m. et 20 rgs,
point d'ombre avec des aiguilles n° 11 (7 mm),
(ou ajustez vos aiguilles pour obtenir l'échantillon).

ABRÉVIATIONS
Voir page 83.

POINTS SPÉCIAUX
POINT D'OMBRE
(Multiple de 8 mailles + 2)

Torsade sur 4 m., torsade à droite = glissez les 2 prochaines m. sur l'aig. aux. et tenez-les à l'arrière de votre ouvrage, 2 m. suivantes end. puis les 2 m. end. de l'aig. aux.

Torsade sur 4 m. torsade à gauche = glissez les 2 prochaines m. sur l'aig. aux. et tenez-les à l'avant de votre ouvrage. 2 m. suivantes end., puis 2 m. end. de l'aig. aux.

Rangs 1 et 5 : Tricotez end.
Rang 2 : et tous les rangs pairs : Tricotez env.
Rang 3 : 1 m. end., * torsade à gauche sur les 4 m. end. ,rép. de * jusqu'à la dernière m., 1 m. end.
Rang 7 : 5 m. end., *torsade à droite sur les 4 m. end.; rép. de * jusqu'aux dernières 5 m., torsade à droite 4 m. end. 1 m. end.
Rang 8 : Tricotez env.
Rép. les rangs 1 à 8 en suivant le modèle.

CACHE-COU
Suivez les instructions pour créer le petit bustier.

BUSTIER
Avec des aiguilles n° 11 (7 mm) et A, mont. m. 74 (82, 90, 98).
Rangs 1 et 3 : Tricotez end.
Rang 2 : Tricotez env. ajoutez 2 brins B.
Rangs 4 et 6 : Tricotez env.
Rang 5 : Tricotez end.
Rang 7 : Tricotez env.
Rang 8 : Tricotez end. laissez tomber les deux brins B.
Rangs 9 à 40 : Point d'ombre.
Changez vos aiguilles pour des 9 mm (n° 13).
Rangs 41 à 48 (56) : Point d'ombre : Ajoutez 2 brins B et changez vos aiguilles pour des 12 mm (n° 17).
Rang 49 (57) : 2 m. end., * 2 m. env., 2 m.end.; rép. de * jusqu'à la fin.
Rang 50 (58) : 2 m. env., * 2 m. end., 2 m. env.; rép. de * jusqu'à la fin.
Rangs 51 à 55 (59 à 63) : Rép. les rangs 49 et 50 deux fois, puis le rang 49 encore une fois.
Rab. suivant le modèle.

BORDURE SUPÉRIEURE
Avec l'end. vous faisant face, en utilisant des aiguilles 6 mm (n° 10) et 2 brins B retenus ens., en travaillant seulement en boucles arrière, choisissez les mailles 74 (82, 90 et 98) dans la lisière rabattue.
Rand 1 : Tricotez env.
Rang 2 : Tricotez end.
Rang 3 : Changez vos aiguilles pour des 9 mm (n° 13) et tricotez env.
Rang 4 : Changez vos aiguilles pour des 10 mm (n° 15) et tricotez end.
Rang 5 : Changez vos aiguilles pour des 12 mm (n° 17) et tricotez env.
Rang 6 : Tricotez end.
Rang 7 : Tricotez env.
Rab. lâchement glissez une m. end.

BORDURE INFÉRIEURE
Avec l'end. vous faisant face, en utilisant des aiguilles n° 7 (4,5 mm) et 2 brins B retenus ens., choisissez les m. 74 (82, 90, 98) dans la lisière montée.
Rang 1 : Tricotez env.
Rang 2 : Changez vos aiguilles pour des 6 mm (n° 10) et tricotez end.
Rang 3 : Changez vos aiguilles pour des 9 mm (n° 13) et tricotez env.
Rang 4 : Changez vos aiguilles pour des 10 mm (n° 15) et tricotez end.
Rang 5 : Changez vos aiguilles pour des 12 mm (n° 17) et tricotez env.
Rab. lâchement glissez 1 m. end.

FINITION
Bloquez légèrement le cache-cou. Repliez le côté rabattu de la bordure inférieure à l'endroit du côté monté et fixez-le à l'aide de mailles glissées avec une aiguille à coudre et du fil. Cousez les boutons le long du rebord gauche avant, en commençant et en terminant à 0,65 cm (0,25 po) de l'extrémité du vêtement.
Brides de boutonnage : À l'aide d'un crochet à crocheter et du fil A, réalisez neuf brides de boutonnage de 6,25 cm (2,5 po). À l'aide de bouts de fil à tricoter ou d'une aiguille à coudre et de fil, fixez les brides au côté avant droit opposé aux boutons.

Comment le porter
■ *Comme col roulé ample* ■ *Comme col plissé à l'avant*

Le bustier

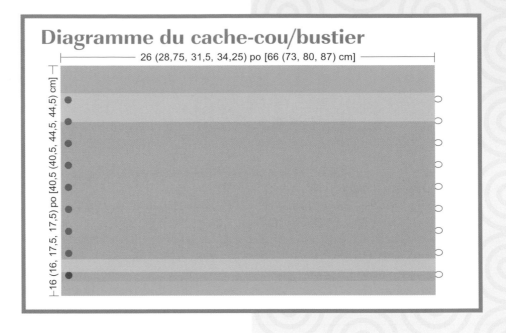

Diagramme du cache-cou/bustier

26 (28,75, 31,5, 34,25) po [66 (73, 80, 87) cm]

16 (16, 17,5, 17,5) po [40,5 (40,5, 44,5, 44,5) cm]

déal lorsqu'il est porté avec un chandail léger à col en «V» ou un petit blouson, ce bustier ajoute une touche glamour qui vous transportera en un clin d'oeil du bureau à un dîner en ville, sans devoir passer à la maison pour vous changer. Porté sur un autre vêtement, le bustier se boutonne au centre et s'ajuste bien sur le corps. Du doux mohair de couleur corail forme la jolie bordure de la portion supérieure, alors que le corps du bustier en torsades grises attirent l'œil jusqu'au volant étroit de couleur saumon au niveau des hanches.

⟨⟨ASTUCE⟩⟩

Lorsqu'il est porté comme bustier, il faut y ajouter les boutons. Il est donc judicieux d'avoir les fils à tricoter avec vous quand vous choisissez les boutons. Dans le cadre de ce projet, les boutons sont aussi importants que le fil à tricoter.

Les instructions de finition de la page 23 vous expliquent comment utiliser un crochet à crocheter pour confectionner une chaîne qui servira à réaliser les brides de boutonnage. Si vous ne savez pas comment faire, ne vous en faites pas. Il existe des solutions de rechange pour créer des brides de boutonnage. La première méthode implique le montage et le rabattage. Les deux autres méthodes impliquent le tressage et l'utilisation de ruban.

POUR TRICOTER LES BRIDES DE BOUTONNAGE

1. À l'aide d'un seul brin de fil à tricoter en mélange de cachemire et de très petites aiguilles, par exemple des aiguilles 2,75 mm (n° 2) ou 3,25 mm (n° 3), montez environ 10 mailles.
2. Ne tricotez aucun rang, rabattez tout simplement l'ensemble des mailles. (Ne nouez pas l'extrémité pour pouvoir réutiliser le fil.)
3. Mesurer la bande. Si elle mesure moins de 6,5 cm (2,5 po) de longueur, montez 2 ou 3 mailles de plus [si elle est plus longue que 6,5 cm (2,5 po), montez 2 ou 3 mailles de moins] et répétez l'étape 2. Continuez jusqu'à ce que vous obteniez la bonne longueur.
4. Créez huit brides de boutonnage identiques de plus.

POUR TRESSER LES BRIDES DE BOUTONNAGE

1. Coupez 27 morceaux de fil à tricoter du mélange de cachemire [d'environ 7 cm (2,75 po)].
2. Utilisez trois fils pour chaque tresse, ce qui vous permettra d'en réaliser neuf. Utilisez du fil assorti pour nouer les extrémités. Au besoin, placez une gouttelette de colle à tissu sur les zones nouées.

UNE AUTRE MÉTHODE SANS BOUTONS

Utilisez une aiguille à tapisserie et un ruban de satin ou de velours assorti (étroit) pour lacer le vêtement. Veillez à acheter suffisamment de ruban pour pouvoir enfiler et retirer le vêtement sans devoir trop le délacer. Nouez le surplus de ruban en boucle au haut ou au bas du bustier. Si vous n'aimez pas voir la boucle, glissez-la sous le vêtement.

ASTUCE

Positionnez les brides, essayez-les avec les boutons, faites les ajustements nécessaires puis cousez-les solidement en place.

Le fil de mohair est délicat et devrait être tricoté lâchement pour pouvoir s'étirer.
Rabattez aussi lâchement!

La riche texture du fil à tricoter gris est mise en évidence par la touche de saumon dont le lustre est contrebalancé par les boutons métalliques de cuivre vieilli.

Cache-col avec pompons de fourrure

une couleur riche et un toucher doux comme un nuage

Porter un cache-cou à l'intérieur peut sembler étonnant. Pourtant, ce n'est pas une idée du jour. Agencer une écharpe et une robe est sensé, tout particulièrement au cours des mois plus froids, lorsque vous souhaitez être élégante et avoir chaud à la fois. Ici, une écharpe de style cache-cou étroit accentuée par une pluie de pompons de fourrure aura fière allure avec une petite veste et une robe classique.

NIVEAU DE DIFFICULTÉ
Débutant

MESURES
- Longueur : 65,5 cm (25 po), avant la finition
- Largeur : 20,5 cm (7,25 po), avant la finition

FOURNITURES
- 140 m (153 verges) mélange d'acrylique/nylon de poids lourd, de couleur épice (14 g)
- Paire d'aiguilles 6,5 mm (n° 10,5)
- 20 pompons de 7,5 cm (3 po)
- Aiguille à tapisserie
- Aiguille à coudre et fil assorti
- Un crochet à crocheter K-10,5(6,5 mm)
- Bande de velcro pour refermer

ÉCHANTILLON
Un carré de 10 cm (4 po) = 11 m. et 13 rgs en côte 2/2 sur aiguilles 6,5 mm (10,5 po) (ou ajustez vos aiguilles pour obtenir l'échantillon).

ABRÉVIATIONS
Voir page 83.

CACHE-COL

Montez 20 m.
Rang 1 : *2 m. end., 2 m. env. ;
rép. de * jusqu'à la fin du rang.
Rang 2 : *2m. env., 2m. end. ;
rép. de * jusqu'à la fin du rang
Rép. jusqu'à ce que l'écharpe
mesure 63,5 cm (25 po).
Rab. en suivant le modèle.

FINITION

1. À l'aide d'une aiguille à coudre et
d'un fil assorti, fixez dix pompons
uniformément espacés à chaque
extrémité du cache-cou.
2. Pliez le cache-cou sur le sens de la
longueur pour qu'un côté se retrouve
5 cm (2 po) au-dessus de l'autre et
cousez en position.
3. Cousez aussi les ouvertures
de chaque extrémité.
4. À l'aide d'un crochet à crocheter, créez
deux chaînes de 38 cm (15 po) pour
les attaches. Fixez-en une à chaque
extrémité du cache-cou, au niveau
du pli.

Variation de style

Pour ajouter du « rock & roll »

au style, cousez des pompons

blancs aux extrémités d'une

écharpe noire, puis ajoutez

des attaches pour fixer les

extrémités de l'écharpe.

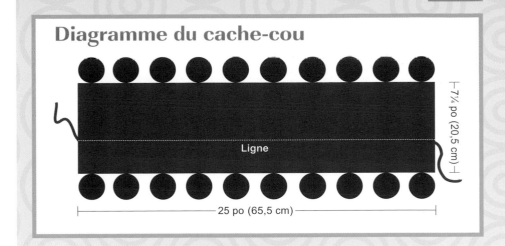

Diagramme du cache-cou

Ligne

7¼ po (20,5 cm)

25 po (65,5 cm)

Col en chenille

*Du bureau à la soirée en ville
avec un seul accessoire*

Jazzez une veste ou un blouson en y fixant ce coloré, chaud et doux col. Impossible de ne pas être bien enveloppée dans ce col chenille d'un violet tout à fait royal! Parce que ce projet est réalisé en point jersey sur des aiguilles relativement grosses, il se tricote rapidement. Le caractère du tissu tricoté est relativement drapé mais cela ne représente pas un problème. Le col est suffisamment petit pour conserver sa structure, tout particulièrement s'il est déposé sur une veste structurée qui soutient les lignes du col tricoté. Ajoutez-y votre épinglette favorite, et vous serez prête pour la soirée.

NIVEAU DE DIFFICULTÉ
Débutant

MESURES
- Longueur: environ 80 cm (30 po)
- Largeur: environ 15 cm (5,5 po)

FOURNITURES
- 91 m (100 verges) mélange d'acrylique/rayonne de poids très lourd, de couleur violet foncé (99 g)
- Paire d'aiguilles 8 mm (n° 11)
- Aiguille à tapisserie

ÉCHANTILLON
Un carré de 10 cm (4 po) = 8 m. et 14 rgs en point jersey, aiguilles 8 mm (n° 11) (ou ajustez vos aiguilles pour obtenir l'échantillon).

ABRÉVIATIONS
Voir page 83.

Cet exubérant col violet est inspiré du patron 40431 de *Lion Brand Yarn*. À l'origine, formé comme un col pour cape, ce modèle a été modifié pour pouvoir être porté sur une veste avec col à revers. L'idée derrière ce changement était de trouver un moyen pratique de raviver des éléments de votre garde-robe d'une précédente saison. En ajoutant un col coloré de couleur contrastante, la veste reprend une apparence neuve et stylisée. Le col peut aussi être confectionné avec de la chenille noire pour ajouter une touche luxueuse à un manteau noir de tous les jours. Pour un style décontracté, remplacez la chenille par un autre type de très grosse laine.

ASTUCE

Préservez les étiquettes du fil à tricoter puisqu'elles contiennent des informations importantes sur l'entretien.

COL

Montez 2 m.
Rang 1 : Tricotez env.
Rang 2 : 1 m. end., aug. 1 m., 1m. end.
Rangs 3 à 20 : Rép. les rangs 1 et 2
[11 m. après le rang 20]
Rangs 21 à 93 : jersey end.
Rang 94 : 1 m. end., 2 m. end. ens., 1 m. end.
Rang 95 : Env.
Rangs 96 à 111 : R/p. rangs 94 et 95.
[2 m., après le rang 111]
Rab. glissez 1 m. end.

Variation de style

Plutôt que de poser le col à plat,

enroulez-le autour de votre cou pour

qu'il ressemble à un cache-cou.

Fixez les parties qui se superposent,

de l'intérieur, avec une épingle de

sûreté, ou de l'extérieur si vous

avez une jolie broche sous la main.

Col bronze orné d'une épinglette

ajout éblouissant pour une fête glamour

Transformez une robe fourreau de base en tenue de soirée grâce à ce col bronze métallisé qui agit en réalité comme un collier.

Laissez les attaches pendre pour que le col demeure légèrement ouvert. Ou encore, fixez les attaches pour donner l'impression d'un faux col roulé. Pour ajouter du style, fixez une fleur d'un côté du col.

NIVEAU DE DIFFICULTÉ
Débutant

MESURES
- Longueur du col : 17,5 cm (7 po)
- Largeur du col : 35,5 cm (14 po) du côté du cou et 48,5 cm (20 po) du côté inférieur
- Fleur : environ 11,5 cm (4,5 po) de diamètre

FOURNITURES
- Col :
  - 105 m (115 verges) mélange de polyester/acrylique métallique de poids moyen, de couleur bronze (50 g) (A)
  - 140 m (153 verges) nylon de poids léger, de couleur brune (50 g) (B)
  - Paire d'aiguilles 6 mm (n° 10), 9 mm (n° 13), 10 mm (n° 15), 12 mm (n° 17), et 15 mm (n° 19)

- Fleur :
  - Restes de fil A et B
  - 95 m (104 verges) mélange de coton/laine/lycra de poids léger, de couleur blanche (50 g) (C)
  - 110 m (122 verges) polyester d'apparence suède de poids lourd, de couleur café (85 g) (D)
  - 70 m (75 verges) fil à tricoter très fin, de couleur blanche (20 g) (E)
  - 102 m (110 verges) mélange de coton/nylon de poids moyen, de couleur kimshi (50 g) (F)
  - Paire d'aiguilles 3,25 mm (n° 3) et 3,75 mm (n° 5)
  - Aiguille à coudre et fils assortis
  - Aiguille à tapisserie
  - Dos d'épinglette
  - Aiguille à enfiler
  - Fil de 10 g (suite page 31)

- Perles :
  - Un rang de petites perles, bronze
  - 10 perles d'eau douce de 10 mm, bronze
  - Cinq perles rondes de 2 mm, or
  - Cinq perles rondes de 2,5 mm, or
  - 5 perles rondes de 5 mm, or

ÉCHANTILLON

Un carré 10 cm = 17 mailles et 22 rangs,
côte 2/2 avec les aiguilles 6mm (n°10)
(ou ajustez vos aiguilles pour obtenir l'échantillon).

ABRÉVIATIONS

Voir page 83.

COL BRONZE

Avec des aiguilles 6 mm (n° 10) et A et B retenus ensemble,
montez 60 m.
Rangs 1 à 12 : point côte 2/2 (* 2 m. end., 2 m. env.) ;
rép. de * jusqu'à la fin.
Changez vos aiguilles pour des 9 mm (n° 13).
Rangs 13 et 14 : rép. côte 2/2.
Changez vos aiguilles pour des 10 mm (n° 15).
Rangs 15 et 16 : rép. côte 2/2.
Changez vos aiguilles pour des 12 mm (n° 17).
Rangs 7 et 18 : rép. côte 2/2.
Changez vos aiguilles pour des 15 mm (n° 19).
Rangs 19 à 22 : rép. côte 2/2.
Rab. en suivant le modèle.

FINITION
Attaches
1. Coupez 12 longueurs de 55 cm (22 po) de fil A et de fil B.
2. Marquez six points uniformément espacés le long de chaque extrémité, pour les attaches.
3. Passez une longueur de fil A et une longueur de fil B à chaque point ; tirez le fil à la moitié puis faites un double nœud pour le fixer en place. Il vous reste maintenant quatre fils de 30 cm (11 po).
4. Tenez deux des fils ensemble.
   Il vous restera trois fils que vous tresserez.
5. Faites un nœud d'arrêt aux extrémités.

ÉPINGLETTE
Fleur
Avec des aiguilles à perles et un fil à perles,
enfilez complètement celui-ci de vos perles.
Avec des aiguilles 3,25 mm (n° 3) et C, montez 100 m.
Rang 1 : Tricotez end.
Changez vos aiguilles pour des 3,75 mm (n° 5).

Rang 2 : Tricotez env.
Laissez tomber C et prenez D.
Rang 3 : Tricotez end.
Laissez tomber D et prenez A.
Rang 4 : Tricotez end.
Laissez tomber A et prenez C.
Rang 5 : Tricotez end.
Assemblez le fil avec les perles.
Rang 6 : Avec C et les perles, tricotez env.
Laissez tomber le fil avec les perles,
en faisant attention à sécuriser les bouts.
Rang 7 : Avec C, tricotez end.
Laissez tomber C et prenez A.
Rang 8 : Tricotez env.
Laissez tomber A et prenez D.
Rang 9 : Tricotez end.
Laissez tomber D et prenez C et E.
Rang 10 : Avec C et E, tricotez env.
Laissez tomber C et prenez A.
Rang 11 : Avec E et A, tricotez end.
Laissez tomber E.
Rang 12 : Avec A, tricotez env.
Rab. gliss. 1 m. end.

FINITION
1. Avec les fils A et B ensemble,
   réalisez un pompon de 3 cm (1,25 po).
2. Avec le fil B, faites deux glands de 4 cm (1,5 po) ; avec le fil D, réalisez un gland de 4 cm (1,5 po) ; utilisez 10 longueurs de fil pour chaque gland.
3. Coupez un morceau de fil A légèrement plus long que la longueur de la pétale. Enfilez-le dans l'aiguille à tapisserie, baguez au travers de la pétale à environ 0,5 cm (0,25 po) du côté rabattu.
4. Tirez les deux extrémités de fil A pour les regrouper et formez trois pétales, puis fixez-les en place en cousant au revers avec l'aiguille à tricoter et le fil.
5. Fixez les glands sur l'endroit, au centre de la fleur.
6. Fixez les pompons sur l'endroit, au centre de la fleur.
7. Répartissez les extrémités des glands autour du pompon puis coupez-les à différentes longueurs jusqu'à ce que l'apparence de votre fleur vous convienne.
8. Cousez l'épinglette au dos de la fleur.

ASTUCE
Après avoir coupé le fil métallisé, appliquez une petite quantité d'anti-effilochage aux extrémités.

VIGNES ET FEUILLES

Petites (moyennes) feuilles : Faites en quatre (six) de chaque, mesurant 2 cm (0,75 po) [2,5 cm (1 po)].

Avec des aiguilles 3,25 mm (n° 3) et F, faites un nœud coulant, et placez-le sur l'aiguille.

Rang 1 (env.) : Dans une seule maille faites 1 m. end., 1 m. env., 1 m. end., 1 m. env., 1 m. end.) [5 m.]
tirez sur le bout afin de serrer le nœud.

Rangs 2 et 4 : Tricotez end.

Rang 3 : Tricotez env.

MOYENNES SEULEMENT : Répéter les rangs 3 et 4 une fois de plus.

Rang 5 : 1 m. env., 3 m. env. ens., 1 m. env. [3 m.]

Rang 6 : 2 m. env. [1 m.]

Coupez le fil en laissant une longue queue pour la couture.

Fixez-le en passant la queue dans la dernière maille.

FINITION

1. Avec le fil F, réalisez cinq vignes tressées de différentes longueurs.
2. Placez deux feuilles avec l'envers ensemble, en insérant une extrémité d'une vigne tressée entre elles.
3. Cousez autour des feuilles en veillant à fixer la vigne en place.
4. Cousez une perle d'eau douce à l'avant et à l'arrière de chaque feuille.
5. Enfilez ensemble trois perles or, puis cousez-les aux bouts des feuilles. (Voir le diagramme.)
6. Cousez les extrémités des vignes ensemble, puis fixez-les au dos de la fleur.

Variation de style

Essayez d'ajouter une frange ou de très petits pompons à perles (qui pendent ou qui sont cousus au rebord) sur le côté inférieur du col. Choisissez le bronze pour créer un style plus subtil. Ces petits détails mettront en évidence la silhouette courbée du col et ajouteront une touche glamour.

ASTUCE
Même si vous cousez les rangs au dos de la fleur, utilisez de la colle à tissu pour renforcer la fixation.

CONSEILS UTILES

Manipulez délicatement le col puisque ses fils se tirent facilement.

L'enfilage de petites perles peut être extrêmement pénible, sauf si vous utilisez une technique que j'ai découverte après des heures à me demander: «Pourquoi suis-je encore entrain de faire ça?» Placez les petites perles dans un contenant peu profond, idéalement de forme rectangulaire, puis inclinez-le pour que les perles se retrouvent toutes d'un côté. Après avoir enfilé l'aiguille (sans oublier de cirer le fil), tenez-la à l'horizontale et faites-la glisser – pas trop rapidement – au centre des perles rassemblées, en inclinant progressivement l'aiguille vers le haut pour que les perles ne retombent pas. Lorsque vous avez attrapé environ 2,5 cm (1 po) de perles, faites-les glisser sur le fil, puis recommencer à «pêcher».

En tenant ensemble le fil et les rangs de perle, tricotez délicatement à l'envers. Tenez le rang de perle relativement raide le long du fil – pas trop – pour ne pas le briser.

Remarque: Les petits projets comme la fleur exigent une quantité minimale de fil à tricoter. Fouillez donc dans vos restes de fil à tricoter avant d'en acheter davantage. Servez-vous de votre imagination alors que vous fouinez dans votre collection de fil. Mélanger des couleurs que l'on ne retrouve pas dans la nature pour obtenir un style original. Choisissez d'abord la couleur de fil; puis coordonnez-la à la fleur. Une fleur de couleur chartreuse, par exemple, sera étincelante sur un col bleu cobalt. Et une fleur argent métallisé sera surprenante sur un col fait à partir de fil blanc métallisé.

> **ASTUCE**
> N'oubliez pas d'être prudente lorsque vous retirez l'épinglette du col; une fois tiré, ce fil est très difficile à replacer.

Diagramme du col bronze

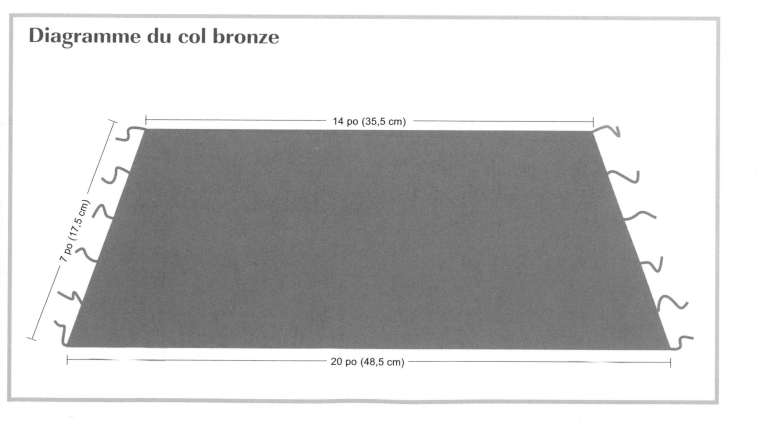

élégant
Bracelet noir

mettez en valeur votre épinglette favorite

É légante et sous-estimée, cette manchette tricotée est parfaite pour les tenues décontractées et pour les tenues chic. Magnifique avec un chandail gris perle à longues manches ou avec une camisole légère, la manchette s'avère un contrepoint attrayant. Travaillée au point de jarretière sur de petites aiguilles, ses subtiles rayures créent douceur au poignet. Les perles noir geai ajoutent brillance, alors que le camée antique donne son style classique à cette manchette.

NIVEAU DE DIFFICULTÉ
Débutant

MESURES
- Longueur : 20 cm (7,5 po)
- Largeur 7,5 cm (5 po)

FOURNITURES
- 145 m (160 verges) laine de poids moyen, de couleur noire (85 g)
- Paire d'aiguilles 4 mm (n° 6)
- Camée ou épinglette au choix
- 55 perles rondes noires, 5 mm
- Fil noir
- Aiguille à tapisserie
- Aiguille à coudre (doit pouvoir s'insérer dans les perles)

ÉCHANTILLON
Un carré de 10 cm = 20 mailles et 40 rangs, point mousse, aiguilles 4 mm (n° 6) (ou ajustez vos aiguilles pour obtenir l'échantillon).

ABRÉVIATIONS
Voir page 83.

BRACELET

Montez 30 m.
Tricotez end. tous les rangs jusqu'à ce que la manchette
mesure 3 po (7,5 cm).
Rab. gliss. 1 m. end.

CHEVAUCHEMENT

Prenez 15 m. dans un petit bout de la manchette.
Tricotez end. tous les rangs sur 1 po (2,5 cm)
ou jusqu'à l'obtention de la longueur désirée.
Rab. 1 m. end. gliss.

FINITION

Avec une aiguille à tapisserie et du fil, formez un anneau à chaque
extrémité du rang de rabattage de la portion chevauchée. Le trou
devrait être juste assez grand pour qu'une perle puisse y passer.

FERMETURES

1. Enfilez une aiguille à repriser et nouez l'extrémité du fil.
2. Insérez l'aiguille de l'envers vers l'endroit à une extrémité
   du rang de superposition rabattu, puis dissimulez le nœud
   entre les mailles.
3. Réinsérez l'aiguille dans le rang rabattu,
   à environ 0,65 cm (0,25 po) de la première insertion.
4. Tirez le fil jusqu'à ce qu'une bride de 1 cm (⅜ po) de diamètre
   soit formée.
5. Utilisez un point de boutonnière pour la finition de la bride.
6. Réinsérez l'aiguille dans le premier point d'insertion,
   puis effectuez de petits points avant à l'autre extrémité
   du rang rabattu.
7. Répétez les étapes 2 à 5 pour la deuxième bride.
8. Fixez en tissant sur l'envers.

Avec une aiguille à coudre et du fil, cousez les perles uniformément
espacées sur les rebords supérieur et inférieur de la manchette,
à environ 0,30 cm (⅛ po) du bord.

Centrez le camée sur la manchette.
Cousez des perles uniformément espacées tout autour.

Pour refermer la manchette, placez la portion chevauchée
sur l'extrémité, puis faites glisser les anneaux autour des perles
au haut et au bas. Utilisez d'autres ensembles de perles pour
finaliser l'ajustement.

Variation de style

Essayez une variété de grosseurs et de types de

fils pour créer des styles complètement différents.

Un magnifique bouton ou une superbe perle peut

aussi servir de décoration à ce bracelet.

ASTUCE
Ajustez la largeur du bracelet pour qu'il convienne
à votre épinglette et la mette bien en valeur.

Bracelet perlé

un petit plaisir pour votre poignet

Trouver des façons d'utiliser des fils originaux est très facile lorsque vous décidez de les agencer à de jolis boutons et à des perles uniques. Pour ce projet, un bracelet tricoté violet et noir est décoré de perles de verre aux cœurs enneigés. Le bouton ovale au niveau de l'attache en anneau est un détail qui attire le regard et qui donne le ton.

NIVEAU DE DIFFICULTÉ
Intermédiaire

MESURES
- Longueur : 17,5 cm (7 po)
- Largeur : 5 cm (2 po)

FOURNITURES
- 115 m (125 verges) coton de poids moyen de couleur violette (50 g) (A)
- 140 m (155 verges) nylon de poids léger, de couleur noire (50 g) (B)
- 75 m (80 verges) polyester de poids très léger (fibranne), de couleur noire (20 g) (C)
- Paire d'aiguilles 4,5 mm (n° 7)
- 72 perles de verre rondes transparentes aux centres blancs, 8 mm
- Un bouton de 2,25 cm (⅞ po)
- Fil à coudre et fil assorti au fil à tricoter A

ÉCHANTILLON
Un carré de 10 cm (4 po) = 18 mailles et 30 rangs, point mousse perlé avec fils A, B et C tenus ensemble, aiguilles 4,5 mm (n° 7) (ou ajustez vos aiguilles pour obtenir l'échantillon).

ABRÉVIATIONS
Voir page 83.

POINT SPÉCIAL

Glissez une perle par-dessus la maille. Amenez le fil au devant de votre ouvrage. Faites glisser une perle sur A (et ainsi de suite, une à la fois, jusqu'à ce que les perles soient à l'emplacement désiré).

MANCHETTE

Ficelez toutes les perles sur A (et ainsi de suite, une à la fois, jusqu'à ce que les perles soient à l'emplacement désiré).

Avec des aiguilles 4,5 mm (n° 7),

et A, B et C retenus ensemble, mont. 9 m.

Rangs 1 à 3: Tricotez end.

Rang 4: 1 m. end, [glissez une perle par-dessus la maille] 3 fois, 1 m. end.

Rang 5: Tricotez end.

Rang 6: 2 m. end., [glissez une perle par-dessus la maille] 3 fois, 1 m. end.

Rang 7: tricotez end.

Rép. rangs 4 à 7 jusqu'à ce que le bracelet fasse 17 cm (6,75 po) ou 0,65 cm (0,25 po) de moins que la longueur désirée.

Tricotez end. 2 rangs.

Rab. 1 m. gliss. end.

Ciselez les fils, en laissant un bout de 15 cm (6 po).

FINITION

Cousez le bouton sur l'endroit d'une extrémité, à 1,25 cm (0,5 po) du bord.

Tissez les bouts des fils B et C. Insérez une aiguille à tapisserie enfilée de 30,5 cm (12 po) de fil A au travers du bracelet, à la base de l'extrémité du bout du fil A; tirez le fil à moitié pour qu'il y ait trois brins de fil A. Tressez et fixez les extrémités à l'aide d'une aiguille et du fil. Pour former une bride de boutonnière double, faites glisser la tresse à moitié au travers des mailles de l'autre coin et nouez; puis ramenez l'extrémité de la base de la tresse et cousez solidement.

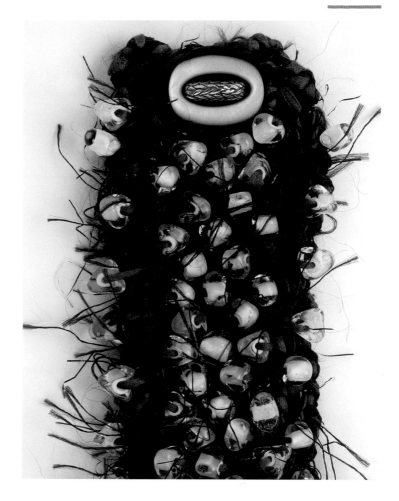

Variation de style

Pour créer un style estival, choisissez des fils de couleurs appétissantes comme l'orange tropical et le rouge cerise.

Ou encore, réalisez le bracelet avec du fil safran, puis agencez-le à un bain de soleil aux couleurs riches et à une jupe fluide de couleur paprika. Le bracelet se tricote en peu de temps. Vous pourrez donc en confectionner un pour chaque saison.

Diagramme de la manchette

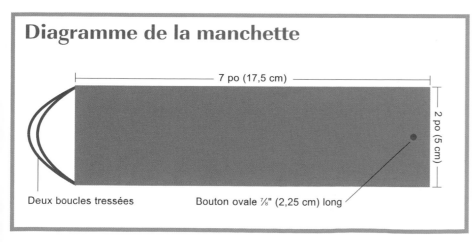

7 po (17,5 cm)

2 po (5 cm)

Deux boucles tressées

Bouton ovale ⅞" (2,25 cm) long

ASTUCE

Si vous n'avez jamais exécuté cette technique, vous trouverez peut-être étrange de travailler avec trois brins de fil. Pratiquez-vous jusqu'à ce que vous soyez à l'aise. Le truc est d'empêcher le fil perlé de devenir lâche. De cette façon, les perles n'oscilleront pas au haut du bracelet.

Bracelet à frange perlée

recouvert de cristal et bordé d'une frange perlée

L e fil ruban métallisé est particulièrement joli lorsque tricoté sur de petites aiguilles, peu importe la maille utilisée ; résultat, un maillage bronze qui constitue une toile de fond tout indiquée pour de jolies perles de cristal. Comme si le bracelet n'était pas suffisamment élégant, une délicate frange perlée l'amène à un tout autre niveau. Vous vous sentirez assurément fantaisiste lorsque vous porterez ce bracelet.

NIVEAU DE DIFFICULTÉ
Débutant

MESURES
- Longueur : 20 cm (5,5 po), sans frange
- Largeur : 5 cm (2 po), après la broderie des perles

FOURNITURES
- 140 m (153 verges) nylon de poids léger, de couleur brune (50 g)
- Paire d'aiguilles 3,75 mm (n° 5)
- Quatre rangs de petites perles dorées
- Deux rangs de petites perles de cristal transparentes
- Environ 60 perles de cristal à bouts coniques, vert mousse, de 5 mm
- 300 perles de cristal à bouts coniques, grenat, de 5 mm
- Environ 160 perles de cristal à bouts coniques, transparentes, de 5 mm
- Trois perles de verre, 10 mm de diamètre
- Fil transparent
- Aiguille à enfiler

ÉCHANTILLON
24 mailles = 4 po (10 cm), point mousse et aiguilles 3,75 mm (n° 5) (ou ajustez vos aiguilles pour obtenir l'échantillon).

ABRÉVIATIONS
Voir page 83.

BRACELET

Montez 14 m.

Rangs 1 et 2 : * 1 m. end., 1 m. env. ; rép. de * jusqu'à la fin.

Rangs 3 et 4 : * 1 m. env., 1 m. end. ; rép. de * Jusqu'à la fin.

Rép. rangs 1 à 4 jusqu'à obtenir 18 cm (7 po) ou la longueur désirée. Rab. en suivant le modèle.

INSTRUCTIONS POUR BRODER LES PERLES

Consultez le diagramme pour placer les perles.

1. Enfilez sur une aiguille une longueur de 30,5 cm (12 po) de fil transparent et nouez une extrémité.
2. Commencez à enfiler les petites perles dorées d'un côté du bracelet. Amenez l'aiguille de l'arrière à l'avant du bracelet, puis enfilez trois petites perles dorées.
3. Piquez l'aiguille contenant les perles au travers du bracelet jusqu'à l'envers, puis serrez bien les perles sur le tissu tricoté.
4. Faites 2 ou 3 points arrière pour fixer solidement.

Répétez les étapes 2 à 4 jusqu'à ce que le bracelet soit complètement décoré.

Pour ajouter de l'éclat, appliquez une bande de perles de cristal de 0,65 cm (0,25 po) vert mousse de façon aléatoire sur les côtés supérieur et inférieur, ou suivant un diagramme pour broder les perles. Vous pouvez aussi ajouter trois lignes de perles de cristal grenat le long du rebord supérieur, au centre et sur le long du rebord inférieur de la bande perlée, les espaçant à larges intervalles, ou selon votre goût.

FRANGE

1. Enfilez sur une aiguille une longueur de 30,5 cm (12 po) de fil transparent et nouez une extrémité.
2. Passez l'aiguille vers le haut, au travers du rebord, à environ 0,30 cm (⅛ po) du bord.
3. Enfilez neuf perles, en alternant les perles grenat et les perles de cristal transparentes.
4. Au bas, enfilez une petite perle et réinsérez l'aiguille sur l'ensemble du brin, et ancrez le brin grâce à 2 ou 3 points arrière au niveau du côté tricoté.
5. Passez l'aiguille sous le rebord de la bande puis ressortez à environ 0,65 cm (¼ po) du précédent brin.
6. Enfilez cinq perles, en alternant les perles grenat et les perles de cristal transparentes.

Répétez les étapes 3 à 6 pour chaque frange, pour couvrir toute la longueur du bracelet.

FINITION

Perles de fermeture

Cousez trois perles de 8 mm sur un côté court en guise de fermeture ; une à chaque coin et une au centre.

Brides de fermeture (travaillées du côté opposé)

1. Enfilez une aiguille à repriser et nouez l'extrémité du fil.
2. Insérez l'aiguille de l'envers vers l'endroit à une extrémité du rebord court, puis dissimulez le nœud entre les mailles.
3. Réinsérez l'aiguille dans le rebord, à environ 0,65 cm (0,25 po) de la première insertion.
4. Tirez le fil jusqu'à ce qu'il forme une bride suffisamment grande pour comprimer la perle de fermeture.
5. Utilisez un point de boutonnière pour la finition de l'anneau.
6. Réinsérez l'aiguille dans le premier point d'insertion.
7. Effectuez des petits points avant au centre du rebord court, et répétez les étapes 2 à 6 pour la deuxième bride.
8. Réalisez des points avant à l'autre extrémité du rebord court. Répétez les étapes 2 à 6 pour la troisième bride.
9. Fixez l'extrémité sur l'envers.

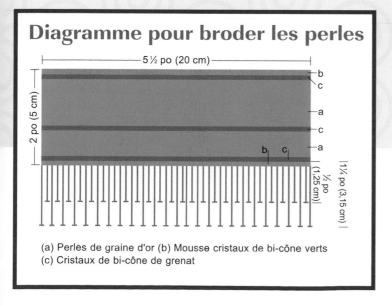

Diagramme pour broder les perles

5 ½ po (20 cm)

2 po (5 cm)

b
c
a
c
a

b   c

½ po (1,25 cm)

1¼ po (3,15 cm)

(a) Perles de graine d'or (b) Mousse cristaux de bi-cône verts
(c) Cristaux de bi-cône de grenat

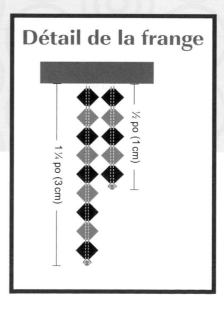

Détail de la frange

½ po (1 cm)

1¼ po (3 cm)

Mini col châle

avec bouton

Le doux et chaud mélange de laine d'agneau et d'acrylique donne à ce mini col châle une apparence pratique, confortable, alors que sa couleur orange lui donne une allure contemporaine. Un très simple point de blé est utilisé, avec des aiguilles plates et un fil très épais, pour créer une texture élaborée. La confection de ce châle est aussi facile : pliez sur la longueur un rectangle tricoté très large ; superposez les extrémités puis attachez avec un bouton ancien.

NIVEAU DE DIFFICULTÉ
Débutant

MESURES
- Longueur : 105 cm (40 po)
- Largeur : 50,5 cm (20 po)

FOURNITURES
- 420 m (459 verges) mélange d'acrylique/nylon de poids lourd, de couleur citrouille (140 g)
- Paire d'aiguilles n° 10 de 6 mm
- Un bouton noir, 5 cm
- Une perle ronde orange, 5 mm (facultative)
- Aiguille à tapisserie et fil
- Aiguille à repriser
- Grosses épingles de sûreté

ÉCHANTILLON
Un carré de 10 cm (4 po) = 9 mailles et 15 rangs, point de riz sur aiguilles 6 mm (n° 10) (ou ajustez vos aiguilles pour obtenir l'échantillon).

ABRÉVIATIONS
Voir page 83.

CHÂLE

Montez 44 m.

Rang 1 : End. * 1 m. end, 1 m. env. ; rép. de * jusqu'à la fin.

Rang 2 : * 1 m. env., 1 m. end. ; rép. de * jusqu'à la fin.

Rép. les rangs 1 et 2 jusqu'à ce que la pièce mesure 104 cm (41 po).

Rab. en suivant le modèle.

FINITION

1. Placez le tissu tricoté à l'horizontale sur une surface plane.
2. Pour créer le col, pliez un ourlet de 14 cm (5,5 po) à partir de la portion supérieure, puis marquez la ligne de pli à l'aide d'épingles de sûreté.
3. Enfilez une aiguille à repriser avec du fil à tricoter et à l'aide d'un point avant, fixez le col le long de la marque de pli, en dissimulant les points et en retirant les épingles au fur et à mesure.
4. Déposez le châle à l'horizontale sur une surface plane, l'envers sur le dessus. Regroupez les deux extrémités en prenant soin de les superposer d'environ 11,5 cm (4,5 po).
5. Positionnez le bouton sur l'endroit du col. Puis, cousez-le, et ajoutez une perle pour dissimuler les trous, au goût.

FERMETURE

1. Enfilez une aiguille à tapisserie de fil à tricoter et nouez l'extrémité du fil.
2. Insérez l'aiguille de l'envers vers l'endroit au niveau de la ligne de pli du rebord gauche, puis dissimulez le nœud entre les mailles.
3. Réinsérez l'aiguille dans le rebord gauche, à environ 3 cm (0,25 po) de la première insertion.
4. Tirez le fil jusqu'à ce qu'une bride de 2 cm (0,75 po) de diamètre soit formée.
5. Utilisez un point de boutonnière pour la finition de la bride.

ASTUCE

Ajustement

L'ajustement du châle se fait en le déposant sur les épaules, avec une superposition à l'avant qui permet de voir les points du col. Pour porter le mini châle plus près et plus haut sur le cou, superposez davantage les deux extrémités et déplacez le bouton en conséquence pour retenir le châle.

___

Taille

Travaillez jusqu'à ce que le tissu soit suffisamment long pour entourer vos épaules, avec les extrémités se chevauchant à l'avant d'environ 11,5 cm (4,5 po). Vous aurez peut-être besoin de fil à tricoter supplémentaire pour réaliser une grande taille.

Variation de style

Pour créer un style différent,

portez le châle plus bas à l'avant,

en laissant l'arrière remonter

jusqu'au milieu du dos et du

chevauchement, formez un

« V » plus accentué.

Diagramme du châle

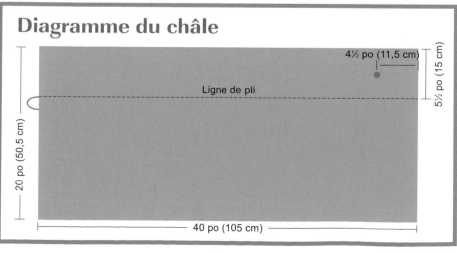

4½ po (11,5 cm)

5½ po (15 cm)

Ligne de pli

20 po (50,5 cm)

40 po (105 cm)

Mini poncho douillet

l'essentiel qui va avec tout

Grâce aux grosses aiguilles et au fil à tricoter épais, vous réaliserez ce projet en un rien de temps. Taillé et stylisé pour être porté légèrement plus bas que les épaules, le mini poncho peut aussi bien être porté avec une robe sans bretelles qu'avec un t-shirt et un jean. Combinez deux fils à tricoter de poids moyen donnera du volume à ce mini poncho stylisé qui est confortable en toutes occasions.

NIVEAU DE DIFFICULTÉ
Intermédiaire

TAILLES
P/M/G

MESURES
- Longueur : 35,5 (38,5, 42) cm [14 (15,25, 16,25) po]
- Largeur, côté du cou : 35,6 (38,5, 42) cm [14 (15,25, 16,5) po]
- Largeur, côté inférieur : 51 (58,5, 66) cm [20 (23, 26) po]

FOURNITURES
- 300 (350, 500) cm [330 (385, 440) verges] mélange acrylique/laine de poids moyen, rose (50 g) (A)
- 360 m (396 verges) mélange d'acrylique/laine de poids moyen, de couleur rose foncé (85 g) (B)
- Paire d'aiguilles 9 mm (n° 13) et 12 mm (n° 17)
- Aiguille auxiliaire pour torsades
- Aiguille à tapisserie
- Marqueurs de maille

ÉCHANTILLON
Un carré de 10 cm (4 po) = 8 mailles et 12 rangs, point jersey, avec fils A et B tenus ensemble, sur aiguilles 12 mm (n° 17) (ou ajustez vos aiguilles pour obtenir l'échantillon).

ABRÉVIATIONS
Voir page 83.

POINTS SPÉCIAUX

Point torsade sur 6 mailles à droite (utilisez 6 mailles consécutives) : Faites glisser les 3 prochaines m. sur l'aig. aux. et maintenez-les à l'arrière de votre ouvrage, tricotez 3 m. end. puis 3 m. end. de l'aig. aux.

PONCHO

(réalisez deux morceaux)

Avec un bout de fil de A et un de B retenus ens. en utilisant des aiguilles n° 17 (12 mm), mont. 46 m.

Rangs 1 et 5 : sur l'end., 4 m. env. (7, 11), * 6 m. end., 5 m. env. [1 m. end., 1 m. env.] deux fois, 1 m. env., 6 m. end., 2 m. env., [1 m. end., 1 m. env.] deux fois, 4 m. env., 6 m. end. *, 4 m. env. (7,11).

Rangs 2 et 4 : 4 m. end. (7, 11), * 6 m. env., 5 m. end., [1 m. env., 1 m. end.] deux fois, 1 m. end., 6 m. env., 2 m. end., [1 m. end., 1 m. env.] deux fois, 4 m. env., 6 m. env. *, 4 m. end. (7, 11).

Rang 3 : 4 m. env. (7, 11), * 6 m. torsade à droite, 5 m. env., [1 m. end., 1 m.env.] deux fois, 1 m. env., 6 m. torsade à droite, 2 m. env., [1 m. end., 1 m. env.] deux fois, 4 m. env., 6 m. torsade à droite *, 4 m. env. (7, 11).

Rang 6 : 4 m. end. (7, 11), * 6 m. env., 5 m. end., [1 m. env., 1 m. end.] deux fois, 1 m. end., 6 m. env., 2 m. end., [1 m. env., 1 m. end.] deux fois, 4 m. env., 6 m. env. *, 4 m. env. (7, 11).

Rangs 7 à 14 : Rép. rangs 1 à 6, puis les rangs 1 et 2 à nouveau.

Rang 15 : 1 m. env. 2 m. env ens., 1 m. env. (4, 8), rép. Rang 3 de * jusqu'à *, 1 m. env. (4, 8), 2 m. env. ens., 1 m. env. [44 (50, 58) m.]

Rangs 16 à 24 : Rép. rangs 4 à 6 une fois, puis les rangs 1 à 6 une fois, en travaillant env. ou 3 m. end. (6, 10) au comm. et à la fin d'un rang au lieu de tricotez env. ou 4 m. end. (7, 11).

Rang 25 : 1 m. env., 2 m. env. ens., 0 m. env. (3, 7), rép. rang 1 de * jusqu'à *, 0 m. env. (3, 7), 2 m. env. ens., 1 m. env. [42 (48, 56) m.]

Rangs 26 à 30 : Rép. rangs 2 à 6, en travaillant env. ou 2 m. end. (5, 9) au comm. et à la fin d'un rang au lieu de tricotez env. ou 4 m. end. (7, 11).

Laissez tomber B et changez vos aiguilles pour des n° 13 (9 mm).

Rangs 31 à 36 : Rép. rangs 1 à 6, en travaillant env. ou 2 m. end. (5, 9) au comm. et à la fin d'un rang au lieu de tricotez env. ou 4 m. end. (7, 11).

TAILLE M SEULEMENT :

Rang 37 : 1 m. env., 2 m. env. ens., 2 m. env., rép. rang 6 de * jusqu'à *, 2 m. env., 2 m. env. ens., 1 m. env. [46 m.]

Rang 38 : Rép. rang 2, en travaillant 4 m. end. au comm. et à la fin d'un rang au lieu de 7 m. end.

TAILLE G SEULEMENT :

Rang 37 : 1 m. env., 2 m. env. ens., 3 m. env., 2 m. env. ens., 1 m. env., rép. rang 1 de * jusqu'à *, 1 m. env., 2 m. env. ens., 3 m. env., 2 m. env. ens., 1 m. env. [52 m.]

Rang 38 : Rép. rang 2, en travaillant 7 m. end. au comm. et à la fin d'un rang au lieu de 11 m. end.

Rang 39 : 1 m. env., 2 m. env. ens., 4 m. env., rép. rang 3 de * jusqu'à *, 4 m. env., 2 m. env. ens., 2 m. env. [50 m.]

Rang 40 : Rép. rang 4, en travaillant 6 m. end. au comm. et à la fin d'un rang au lieu de 11 m. end.

BANDE D'ENCOLURE

Prenez B et changez vos aiguilles pour des 12 mm (n° 17)

Rang 1 : sur l'end. * 2 m. env., 2 m. end. ; rép de * jusqu'aux 2 dernières m., 2 m. env.

Rang 2 : 2 m. end., * 2 m. env. ; rép. de * jusqu'à la fin.

Rangs 3 à 5 : Rép. rangs 1 et 2 une fois, puis le rang 1 à nouveau. Rab. lâchement en suivant le modèle.

FINITION

Bloquez les deux pièces à la même grandeur. Joignez les coutures latérales à l'aide du fil B et d'une aiguille à tapisserie, en travaillant au centre des mailles du rebord.

CONSEILS UTILES

J'ai découvert que j'avais moins tendance à me tromper sur la section des torsades si je définis ses limites à l'aide de marqueurs de mailles. À moins d'indication contraire, glissez les marqueurs sur l'aiguille de droite lorsque vient le temps de les insérer.

Le modèle tricoté est agrémenter par un fil dans une couleurs de confettis.

ASTUCE

Même si vous tricoterez avec deux brins, gardez les balles séparées puisque certains fils s'étirent plus que d'autres. Si vous les roulez ensemble en une seule balle, vous risquez d'être prise avec des fils mêlés et des nœuds, ce qui est tout sauf amusant !

Parce que l'ajustement se fait au bas des épaules, il est tout particulièrement important de rabattre lâchement.

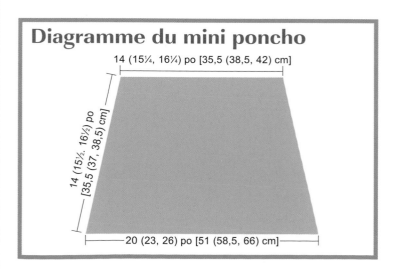

Diagramme du mini poncho

14 (15¼, 16¼) po [35,5 (38,5, 42) cm]

14 (15½, 16½) po [35,5 (37, 38,5) cm]

20 (23, 26) po [51 (58,5, 66) cm]

Boléro dentelle
avec col et manchettes en fourrure

L e boléro figure parmi les éléments les plus polyvalents d'une garde-robe parce qu'il peut être porté lors d'une soirée élégante aussi bien que pour une occasion plus décontractée. Ici, une maille ajourée crée un tissu élégant de couleur framboise. La maille est formée en jumelant un fil suède, dont l'effet est subtil, à un fil boutonneux. Le col en fausse fourrure a été ajouté séparément, tout comme les manchettes pour un effet glamour.

NIVEAU DE DIFFICULTÉ
Intermédiaire

TAILLES
P (M, G, TG)

MESURES
- Longueur : 25,5 (26,5, 28, 30,5) cm [10 (11,5, 13, 15) po]
- Largeur de l'ouverture arrière : 51 (56, 61, 66) cm [20 (22, 24, 26) po]
- Poignet : 20 (22, 23,5, 25,5) cm [8 (8,75, 9,25, 10) po]

FOURNITURES
- 222 (222, 222, 333) m [240 (240, 240, 360) verges] nylon d'apparence suède de poids lourd de couleur framboise (50 g) (A)
- 150 m (163 verges) mélange rayonne/coton/nylon de poids léger, de couleur rouge multi (50 g) (B)
- 55,8 m (61 verges) mélange microfibre de rayonne/laine de poids moyen rose (C)
- Paire d'aiguilles 4,5 mm (n° 7), 6,5 mm (n° 10,5), 8 mm (n° 11), 9 mm (n° 13), 10 mm (n° 15), 12 mm (n° 17), 19 mm (n° 35)
- Aiguille à tapisserie
- Marqueurs de maille
- Facultatif : 45,5 (50,5, 56, 61) cm [18 (20, 22, 25) po] longueur de la garniture en fourrure

ÉCHANTILLON
Un carré 10 cm (4 po) = 12,5 mailles et 16 rangs, point bourgeon de crocus sur aiguilles 6,5 mm (n° 10,5) (ou ajustez vos aiguilles pour obtenir l'échantillon).

ABRÉVIATIONS
Voir page 83.

PATRON DE MAILLE
Point bourgeon de crocus

(multiple de 2 m. + 1)

Rang 1 : 1 end, 1 jeté [passez le fil par-dessus l'aiguille] 2 m. end.; rép. de * jusqu'à la fin.

Rang 2 : * 3 m. env., en utilisant l'aig. gauche. faites gliss. la 3e m.sur l'aig. droite. par-dessus les 2 premières m. de l'aig. droite.; rép. de * jusqu'à la fin du rang.

Rang 3 : * 2 m. end.,1 j.; rép. de * jusqu'à la dernière m., 1 m. end.

Rang 4 : * 3 m. end.; en utilisant l'aig. g. faites gliss. la 3e m. sur l'aig. g. par-dessus les 2 premières m. de l'aig. d.; rép. de * jusqu'à la dernière m.; 1 m. env.

Répétez les rangs 1 à 4 en suivant le modèle.

BOLÉRO

Avec des aiguilles 6,5 mm (n° 10,5) et A, mont. 25 (27, 29, 31) m.

Rangs 1 à 24 : Travaillez le point crocus en suivant le modèle.

Changez vos aiguilles pour des 8 mm (n° 11).

Rangs 25 à 28 : Travaillez le point crocus en suivant le modèle.

Rang 29 (aug.) : 1 m. end., aug. 1 m. env., aug. 1 m., continuez le p. crocus en suivant le modèle de * jusqu'à la dernière m., 1 aug., aug. 1 m. env., 1 m. end. [27 (29, 31, 33) m.]

Rangs 30 à 32, 34 à 36, et 38 à 48 : Travaillez le p. jers. jusqu'à l'anneau marqueur, suivre le modèle, continuez le p. crocus jusqu'à l'anneau marqueur, suivre le modèle, travaillez le p. jers. jusqu'à la fin.

Rangs 33 à 37 (aug.) : 1 m. end., 1 aug., travaillez le p. jers. jusqu'à l'anneau marqueur, suivre le modèle, travaillez le p. crocus de * jusqu'à l'anneau marqueur, suivre le modèle, travaillez le p. jers. jusqu'à la dernière m., 1 aug., 1 m. end. [31 (33, 35, 37) m. après le rang 37]

Changez vos aiguilles pour des n° 13 (9 mm).

Rang 49 et 61 (aug.) : Rép. rang 33 [35 (37, 39, 41) m. après le rang 61]

Rangs 50 à 60 et 62 à 64 : Travaillez en p. jers. jusqu'à l'anneau marqueur, suivre le modèle, travaillez en p. crocus selon le modèle jusqu'à l'anneau marqueur, , travaillez en p. jers. jusqu'à la fin.

Changez vos aiguilles pour des n° 15 (10 mm), en retirant les marqueurs.

Rangs 65 à 68 : * 1 m. end., 1 m. env.; rép. de * jusqu'à la dernière m., 1 m. end.

Changez vos aiguilles pour des n° 17 (12 mm).

Rang 69 (aug.) : 1 m. end. aug. 1 m., * 1 m. env., 1 m. end.; rép. de * jusqu'à la dernière m., 1 aug. 1m. end. [37 (39, 41 43) m.]

Rangs 70 à 72 : * 1 m. env, 1 m. end.; rép. de * jusqu'à la dernière m., 1 m. env.

Changez vos aiguilles pour 19 mm (des n° 35).

Rangs 73 à 84 : Rép. rang 70.

Tailles M (G, TG) seulement : Rép. rang 70 sur encore 5 (10 ou 15 cm [2 po (4 po, 6 po, selon la taille)], en terminant après un rang env. (Note : Placez un anneau marqueur au rang 84, afin de garder le compte.)

Changez vos aiguilles pour des 12 mm (n° 17).

Rangs 85 à 88 : Rép. rang 70.

Rang 89 : 1 surj. s., * 1 m. env., 1 m. end.; rép. de * jusqu'aux dernières 3 m., 1 m. env., 2 m. end. ens. [35 (37, 39, 41) m.]

Changez vos aiguilles pour des 10 mm (n° 15).

Rangs 90 à 92 : * 1 m. end., 1 m. env.; rép. de * jusqu'à la dernière m., 1 m. end.

Changez vos aiguilles pour des 9 mm (n° 13).

Rang 93 : 5 m. end., pm., travaillez en p. crocus selon le modèle jusqu'aux dernières 5 m., 5 m. end.

Rangs 94 à 96 : 1 surj. s. jusqu'à l'anneau marqueur, travaillez en p. crocus selon le modèle jusqu'à l'anneau marqueur, travaillez en p. jers. jusqu'à la fin.

Rang 97 : 1 surj. s., 3 m. end., travaillez en p. crocus selon le modèle jusqu'à l'anneau marqueur, 3 m. end., 2 m. end. ens. [33 (35, 37, 39) m.]

Rangs 98 à 108 : Rép. rang 94 :

Rang 109 : 1 surj. s., 2 m. end., travaillez en p. crocus selon le modèle jusqu'à l'anneau marqueur, 2 m. end., 2 m. end. ens. [31 (33, 35, 37) m.]

Changez vos aiguilles pour des 8 mm (n° 11).

Rangs 110 à 120 : Rép. rang 94.

Rang 121 : 1 surj. s., 1 m. end., travaillez en p. crocus selon le modèle jusqu'à l'anneau marqueur, 1 m. end., 2 m. end. ens. [29 (31, 33, 35) m.]

Rangs 122 à 124 : Rép. rang 94 :

Rang 125 : 1 surj. s., travaillez en p. crocus selon le modèle jusqu'à l'anneau marqueur, 2 m. end. ens. [27 (29, 31, 33) m.]

Rangs 125 à 128 : Rép. rang 94.

Rang 129 : 1 surj. s., 1 jeté, 2 m. end.; rép. de * jusqu'aux dernières 3 m., 1 jeté, 1 m. end., 2 m. end. ens. [25 (27, 29, 31) m.]

Rangs 130 à 132 : Travaillez en p. crocus selon le modèle.

Changez vos aiguilles pour des 6,5 mm (n° 10,5).

Rangs 133 à 156 : Travaillez le p. crocus selon le modèle. Rab. 1 m. end. gliss.

Garniture pour les poignets :

En utilisant des aiguilles 4,5 mm (n° 7) et B, montez 39 m (43, 45, 49) également dans la lisière.

Rangs 1 à 5 : * 1 m. end., 1 m. env.; rép. de * jusqu'à la dernière m., 1 m. end.

Laissez tomber B et assemblez C, en laissant un long bout de fil pour faire des nœuds.

Rang 6 : Tricotez env.

Rang 7 : Tricotez end.

Rab. 1 m. env. gliss., en laissant un long bout de fil pour faire des nœuds.

FINITION

1. Pliez le vêtement en deux, dans le sens de la longueur.

2. Cousez les coutures des manches ensemble à l'aide d'une aiguille à tapisserie et du fil A, en laissant une ouverture de 6,5 cm (2,5 po) à chaque poignet et au centre 50 (56, 61, 66) cm [20 (22, 24, 26) po] pour le dos.

3. Fixez les extrémités de fil, en laissant 17,8 cm (7 po) de fil C pour les attaches de poignet.

4. Bloquez légèrement.

5. Facultatif : Coupez la garniture en fourrure à 45,5 (51, 56, 61) cm [18 (20, 22, 24) po]. Centrez et fixez sur le revers. (Voir page 47 pour plus de détails.)

Diagramme du boléro

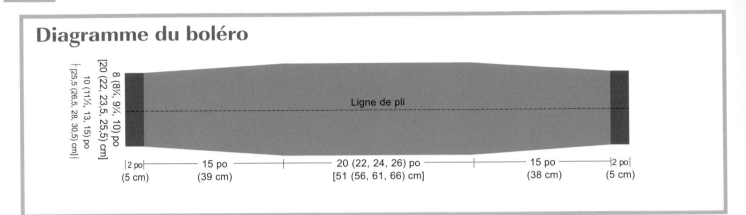

8 (8¾, 9¼, 10) po
[20 (22, 23,5, 25,5) cm]

10 (11½, 13, 15) po
[25,5 (26,5, 28, 30,5) cm]

Ligne de pli

|2 po|
(5 cm)

— 15 po —
(39 cm)

— 20 (22, 24, 26) po —
[51 (56, 61, 66) cm]

— 15 po —
(38 cm)

|2 po|
(5 cm)

Variation de style

Si la garniture de fourrure ne vous plaît pas, ne l'ajoutez pas !

Le style du boléro sera ainsi complètement différent.

ASTUCE

Avant de commencer à tricoter, soyez consciente du fait que lorsque vous arriverez aux trois dernières mailles du bourgeon de crocus, au rang 2, vous devrez réaliser un glissé final. Si vous oubliez, vous aurez trop de mailles, ce qui pourra gâcher le modèle.

Ajouter le col et les manchettes

1. *Pour réaliser les manchettes, coupez deux longueurs de fausse fourrure de 28,5 cm (10 po). Pour chacune, pliez et créez un ourlet sur le côté court, à l'aide d'une aiguille enfilée.*

2. *Pliez chaque rectangle dans le sens de la longueur, envers face à face, et fixez à l'aide d'épingles de sûreté. Appliquez une bande de ruban pour fixer la fourrure. Fixez le rebord du ruban et les deux côtés de l'ourlet à l'aide d'un point roulé, grâce à une aiguille enfilée. Retirez le ruban.*

3. *Coupez deux longueurs de velcro de 2 cm (0,75 po). Positionnez et cousez la portion à boucles à l'intérieur du rebord du ruban, et la portion à crochets à l'extérieur du rebord du ruban, comme illustré.*

4. *Pour réaliser le col, coupez une longueur de fausse fourrure de 45,5 cm (20 po) et suivez les étapes 1 à 3. N'utilisez pas de velcro. Centrez et épinglez le rebord du ruban de la fausse fourrure au rebord de la ligne de col du boléro et cousez en position.*

Mini poncho
à mailles lâches

pour se draper d'une dentelle
du fil le plus soyeux

Ce mini poncho est parfait pour les soirées d'été pour lesquelles la camisole ne suffit pas, mais qui ne requièrent pas non plus le pull. La texture ajourée de couleur blanche est attrayante, même si on la porte sur un haut uni. Le mini poncho peut être tricoté rapidement sur des aiguilles n° 35 (19 mm) et cousu en moins de 30 minutes.

NIVEAU DE DIFFICULTÉ
Débutant

TAILLES
P/M (G/TG)

MESURES
■ Longueur : 25,5 (30,5) cm [10 (12) po]
après la finition
■ Largeur : 101,5 (110) cm [40 (44 po)]

FOURNITURES
■ 280 (420) m [306 (459) verges]
nylon de poids léger, écru (50g) (A)
■ 261 (348) m [285 (380) verges]
mélange de coton/rayonne/nylon
de poids léger, écru (50 g) (B)
■ Paire d'aiguilles 19 mm (n° 35)
■ Aiguille à tapisserie
■ Un crochet à crocheter 6,5 mm
(n° 10,5) pour la frange

ÉCHANTILLON
Un carré de 10 cm (4 po) = 6 mailles
et 8 rangs, point jersey sur aiguilles
19 mm (n° 35) (ou ajustez vos aiguilles
pour obtenir l'échantillon).

ABRÉVIATIONS
Voir page 83.

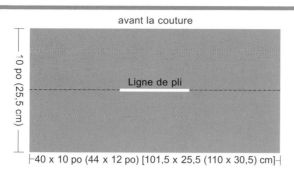

Patron du mini poncho

avant la couture

10 po (25,5 cm)

Ligne de pli

|— 40 x 10 po (44 x 12 po) [101,5 x 25,5 (110 x 30,5) cm] —|

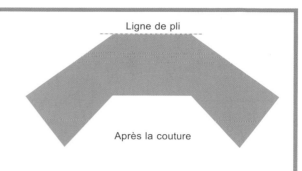

Ligne de pli

Après la couture

MINI PONCHO

En utilisant les couleurs A et B, mont. 59 (65) m.

Rang 1 : 1 m. end., * 1 m. env., 1 m. end. ; rép. de *

Rangs 2 et 3 : * 1 m. end.,
1 m. env. ; rép. de * jusqu'à la dernière m., 1 m. end.

Rangs 4 à 19 (4 à 23) : p. jers. env.
(tricotez end. sur l'end., et tricotez env. sur l'env.).

ENCOLURE

Rang 20 (24) : 20 m. env. (23), rab. 19 m., tricotez env.
jusqu'à la fin du rang.

Rang 21 (25) : 20 (23) m. end., mont. 19 m., tricotez end.
jusqu'à la fin du rang.

Rangs 22 à 37 (26 à 45) : p. jers. env.

Rangs 38 à 40 (46 à 48) : Rép. rangs 1 à 3 :
Rab. 1 m. end. gliss.

FINITION

1. Pliez le mini poncho en deux, dans le sens de la longueur,
avec l'encolure [rangs 20-21 (24-25)] au niveau du pli.

2. À l'aide d'une aiguille à tapisserie et des deux fils, cousez
des coutures pour les manches de 18 cm (7 po).

3. Avec les deux fils, réalisez une frange de 12,5 cm (5 po)
uniformément autour de l'ouverture du rebord inférieur.

Variation de style

Parce que le fil utilisé a un fini brillant, le mini poncho

dispose d'un lustre élégant qui en fait une pièce parfaite pour

accompagner une robe de soirée. Réalisez-le avec du fil noir

pour créer un style tout autre.

ASTUCE

Si vous n'avez jamais utilisé de grosses aiguilles,
prenez le temps de pratiquer avant d'entamer ce
projet. Vous vous sentirez maladroite au début mais
justement parce que les mailles sont lâches,
il n'est pas nécessaire de contrôler
parfaitement les aiguilles.

Mini cape
en fausse fourrure ou cache-col

aussi léger qu'une plume

Rien ne se compare à la romance créée par cette petite cape classique tricotée avec du fil de fausse fourrure. Au toucher, ce vêtement est si doux qu'il en est sublime. Grâce à sa légèreté, il est très confortable à porter. La combinaison de fils violet et noir produit une texture bariolée. L'attrait du fil de fausse fourrure est qu'il ne se prend pas au sérieux. Il dispose de l'apparence de la fourrure, mais aussi de couleurs amusantes qu'on ne retrouve pas dans la nature. Pour créer un style plus formel, réalisez la cape

(suite en page 51)

NIVEAU DE DIFFICULTÉ
Débutant

MESURES
- Longueur : 15 cm (6,25 po)
- Largeur : 40,5 cm (15 po) du côté du cou ; 85,5 cm (35 po) du côté inférieur

FOURNITURES
- 162 m (180 verges) chacun, deux couleurs de fil en fausse fourrure de polyester de poids lourd, violet (A) et noir (B) (50 g)
- Paire d'aiguilles 8 mm (n° 11)
- Marqueurs de maille
- Aiguille à tapisserie
- Attaches : Broche ou attaches en ruban [4 x 122 cm (1,5 po x 48 po)] — ruban de satin ou de velours, aiguille à coudre et fil assorti

ÉCHANTILLON
Un carré de 10 cm (4 po) = 16 mailles et 32 rangs, point mousse et un brin de fils A et B tenus ensemble, aiguilles 8 mm (n° 11) (ou ajustez vos aiguilles pour obtenir l'échantillon).

ABRÉVIATIONS
Voir page 83.

avec du fil noir seulement, ajoutez-y du brillant, par exemple une broche strass au niveau du cou. Pour créer un style plus sophistiqué, par exemple pour le bureau, tricotez la cape avec des fils de couleurs terrestres comme chocolat et cannelle, et portez-la avec une veste en tweed. Règle générale, plus les couleurs de fil se rapprochent, plus l'apparence du vêtement sera sobre. Ultra polyvalente, cette cape risque fort de devenir la préférée de votre garde-robe.

⌊ASTUCE⌉

Il est facile d'exprimer votre style personnel. Pour un look glamour, refermez la cape à l'aide d'une grosse broche de strass. Choisissez-en une avec des pierres de couleurs similaires pour créer une touche étincelante mais subtile, ou optez pour un bijou très original, par exemple de cristal de couleur contrastante – comme le vert chartreuse ou l'orange.

CAPE

Avec un brin de A et un brin de B retenus ens., mont. 136 m.
Rang 1 : [19 m. end.,1 marqueur] 6 fois.
Rang 2 : [tricotez end. jusqu'à 2 m. avant le marqueur, 2 m. end. ens., 1 marqueur] 3 fois ; 19 m. end. ;
[1 marqueur,1 surj. s., tricotez end. jusqu'au marqueur] 2 fois,
1 marqueur, 2 m. end. ens., tricotez end. jusqu'à la fin. [130 m.]
Rangs 3 à 5 : Tricotez end.
Rangs 6 à 49 : Rép. [rangs 2 à 5] 11 fois. [64 m.]
Rab. toutes les m.

FINITION

Broche : pour refermer l'encolure.

Attaches en ruban : Coupez une longueur de 122 cm (48 po) de ruban en deux. Cousez une extrémité de chaque longueur à chaque côté de l'encolure.

Variation de style

Vous serez inspirée pour porter

cette cape de plusieurs façons,

selon l'occasion et l'humeur

du moment. Plutôt que de

la déposer sur vos épaules,

comme illustré, enroulez

la cape autour de

votre cou, comme

un cache-cou,

et superposez

les extrémités.

Gilet de style ballet

version moderne d'un classique

Ce gilet a été pensé pour les femmes qui apprécient la tradition du ballet – son design côte à côte mime presque le mouvement de la danse. Le tricotage est facile et il y a peu de travail de finition. La formule gagnante pour produire un superbe gilet en peu de temps. Ce gilet est décoré d'une fausse fourrure qui définit davantage ses lignes gracieuses.

NIVEAU DE DIFFICULTÉ
Intermédiaire

MESURES
- Longueur : 31 (35,5, 38, 40,5) cm [13 (14, 15, 16) po]
- Largeur du dos : 43 (48,5, 53,5, 58,5) cm [17 (19, 21, 23) po]

FOURNITURES
- 539 (616, 693, 770) m [588 (672, 756, 840) verges] cachemire ou mélange de cachemire de couleur rose pâle (40 g) (A)
- 125 m (137 verges) nylon pelucheux de poids léger, rose pâle, (50 g) (B)
- 365 m (399 verges) mélange de rayonne/nylon de poids moyen, de couleur fuschia (100 g) (C)
- 75m (81 verges) mélange de coton/nylon/acrylique de poids très lourd, de couleur rose (50 g) (D)
- 15,5 m (17 verges) fil boa en acrylique de poids très lourd, de couleur rose (40 g) (E)
- Une aiguille circulaire 5 mm (n° 8) de 60 cm (24 po), une paire d'aiguilles 20 mm (n° 36)
- Marqueurs de maille
- Aiguille à tapisserie

ÉCHANTILLON
Un carré de 10 cm (4 po) = 16 mailles et 24 rangs point jersey , aiguilles 5 mm (n° 8) (ou ajustez vos aiguilles pour obtenir l'échantillon).

ABRÉVIATIONS
Voir page 83.

GILET
CÔTÉ DROIT
Manche

En commençant au bas de la manche, avec un brin de A et un brin de B retenus ens. en utilisant des aiguilles circulaires n°8 (5 mm), mont. 31 (33, 35, 37) m.

Rangs 1 à 11 : Comm. avec un r. env., p. jers (tricotez end. sur l'end., et tricotez env. sur l'env.).

Laissez tomber B.

Rangs 12 à 17 : Avec A seulement, tricotez en p. jers.

Rang 18 : 2 m. end., 1 aug., tricotez end. jusqu'aux dernières 2 m., 1 aug., 2 m. end. [33 (35, 37, 39) m.]

Rangs 19 à 23 : p. jers.

Rangs 24 à 71 (71, 77, 77) : Rép. rangs 18 à 23. [49 (51, 55, 57) m.] après le rang 71 (71, 77, 77)]

Travaillez un nombre pair de p. jers. jusqu'à ce que la manche mesure 43, 2 cm (43 cm, 44,5 cm, ou 44,5 cm) [17 po (17, 17½ , ou 17½ po selon la taille)] ou jusqu'à la longueur désirée.

Ne coupez pas le fil.

Dos

Mont. 28 (31, 33, 36) m. au comm. des 2 prochains rangs. [105 (113, 121, 129) m.] travaillez un nombre pair de p. jers. sur 11,5 cm (14 cm, 16,5 cm, ou 19 cm) [4,5 po (5,5 po, 6,5 po, 7,5 po)], en terminant avec un rang env.

Rang 1 (end.) : 53 m. end. (56, 60, 64) puis placez ces m. sur une aig. aux. pour le devant. Tricotez end. jusqu'à la fin du rang.
[54 (57, 61, 65) m.]

Rang 2 : Tricotez env.

Rang 3 : 1 m. end., 1 surj. s., tricotez end. jusqu'à la fin du rang.

Rangs 4 et 5 : rép. rangs 2 et 3 [51 (54, 58, 62) m.]

Rangs 6 à 26 : 1 surj. s.

Rab. lâchement.

Devant

Transférez les 54 (57, 61, 65) m. avant de la première aig. aux. à l'aig. circulaire 5 mm (n°8). Avec l'env. vous faisant face, assemblez A et B en bordure du cou.

Rang 1 : Env. Rab. 12 (13, 14, 15) m. ; laissez tomber B (mais ne le coupez pas) et tricotez env. avec A jusqu'à la fin du rang.
[42 (44, 47, 50) m.]

Rang 2 : Tricotez end. jusqu'aux dernières 4 m. ; avec A et B, surjet s., 2 m. end. ens. ; laissez tomber B.

Rang 3 : Avec A, tricotez env.

Rangs 4 à 9 : Rép. rangs 2 à 3 [34 (36, 39, 42) m. après le rang 9]

Rang 10 : Tricotez end. jusqu'aux dernières 2 m. ; avec A et B, 2 m. end. ens. ; laissez tomber B.

Rang 11 : Avec A, tricotez env.,

Rangs 12 à 55 (59, 64, 71) : Rép. rangs 10 et 11.
[11 m. après le rang 55 (59, 65, 71)]

Rab. lâchement.

Diagramme du gilet de style ballet

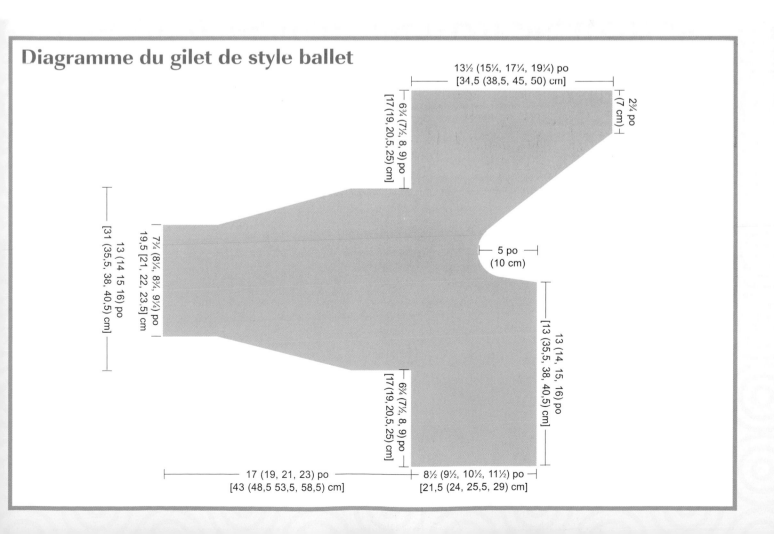

CÔTÉ GAUCHE

Manche

Travaillez de la même façon que le côté droit.

Dos

Mont. 28 (31, 33, 36) m. au comm. des deux prochains rangs.
[105 (113, 121, 129) m.] travaillez un nombre pair de p. jers. sur
11,5 cm (15 cm, 16,5 cm, 19 cm) [4½ po (5½ , 6½, 7½ po)], en
terminant après un rang end.

Rangs 1 (end.): 54 m. end. (57, 61, 65). Placez les 53 (56, 60, 64) m.
restantes sur l'aig. aux. pour le devant.

Rang 2: Env.

Rang 3: Tricotez end. jusqu'aux dernières 3 m., 2 m. end. ens.,
1 m. end.

Rangs 4 et 5: Rép. rangs 2 et 3 [51 (54, 58, 62) m.]

Rangs 6 à 26: p. jers.

Rab. lâchement.

Devant

Transférez 54 (57, 61, 65) m. de l'aig. aux. sur l'aig. circulaire 5 mm
(n° 8). Avec l'end. vous faisant face, assemblez A et B en bordure
du cou.

Rang 1: End. Rab. 12 (13, 14 15) m.; laissez tomber B (mais ne
le coupez pas) et tricotez end. avec A jusqu'à la fin du rang.
[42 (44, 47, 50) m.]

Rang 2: Tricotez env.

Rang 3: Avec A et B, 1 surj. s., 2 m. end. ens.; laissez tomber B,
tricotez end. jusqu'à la fin du rang.

Rangs 4 et 9: Rép. rangs 2 et 3 [34 (36, 39, 42) m après le rang 9]

Rang 10: Avec A, tricotez env.

Rang 11: Avec A et B,1 surj. s., laissez tomber B, tricotez end.
jusqu'à la fin du rang.

Rangs 12 à 55 (59, 65, 71): Rép. rangs 10 et 11.
[11 m. après le rang 55 (59, 65, 71)]

Rab. lâchement.

BORDURE EN BOA ET ÉCHARPE

Avec A, B et C retenus ens. sur des aig. 20 mm (n°36), mont.
lâchement 136 (140, 144, 148) m.

Rang 1: Tricotez end.

Rang 2: * 1 m. end., 1 aug.; rép. de * jusqu'à la fin.

Rang 3: Tricotez end.

Rab. lâchement.

ASTUCE

Bâtissez légèrement la garniture pour qu'elle soit facile
à retirer; vous déciderez peut-être éventuellement
d'utiliser une autre garniture ou rien du tout!

FINITION

1. Cousez la manche et les coutures latérales en laissant une ouverture de 5 cm (2 po) au niveau de la couture du côté droit, à 0,65 cm (¼ po) du bord inférieur.

2. Cousez la couture arrière pour joindre les côtés gauche et droit.

3. Bloquez le gilet aux mesures.

4. Pliez en deux la bordure en boa et épinglez le pli à la couture de l'encolure arrière. À l'aide d'une aiguille à tapisserie et de fil B, fixez le long de l'encolure et de l'ouverture avant.

5. Coupez les fils C et D à différentes longueurs et fixez aléatoirement au boa.

6. Fixez trois brins de longueurs différentes à chaque manchette.

POMPONS

(facultatif)

En tenant les fils A, B et C ensemble, et à l'aide d'aiguilles n° 36 (20 mm), relevez 3 mailles à l'extrémité de l'attache.

Rang 1 : 1 m. end., *1 m. env., 1 m. end. ; rép. de * jusqu'à la fin du rang.

Rép. rang 1 à cinq reprises. Rabattez en laissant une longue queue.

Enfilez une aiguille à tapisserie avec la queue ; roulez le tissu en boule et cousez-le en une forme de pompon.

Il existe plusieurs façons d'aborder le tricotage circulaire.

Ceinture écharpe

ornée de glands

Accessoire polyvalent, la ceinture écharpe est très longue pour pouvoir être croisée dans le dos et attachée à l'avant. Les fils en ruban, les perles et les glands embellissent cet accessoire qu'on croirait en laine, parfait pour les occasions élégantes mais assez sobre pour être porté avec des pantalons décontractés, et même des jeans.

NIVEAU DE DIFFICULTÉ
Débutant

TAILLES
P-M (G-TG)

MESURES
■ Devant : 13,25 x 38,5 (45 cm) [5,25 x 15,25 (17,75) po], sans les attaches
■ Attaches : 81,25 cm (32 po) chacune

FOURNITURES
■ 180 m (197 verges) mélange d'acrylique/laine de poids moyen, de couleur mer (85 g) (A)
■ 100 m (109 verges) [200 m (218 verges)] nylon de poids léger, de couleur bleue (50 g) (B)
■ 140 m (153 verges) nylon de poids léger, de couleur vert lime (50 g) (C)
■ Paire d'aiguilles 4,5 mm (n° 7) et 5,5 mm (n° 9)
■ Fil à coudre et fil assorti au fil à tricoter A
■ 4 boutons à tige
■ 8 perles rondes, 7 mm

ÉCHANTILLON
Un carré de 10 cm (4 po) = 13 mailles et 24 rangs, point damier 4/4 sur aiguilles 4,5 mm (n° 7) (ou ajustez vos aiguilles pour obtenir l'échantillon).

ABRÉVIATIONS
Voir page 83.

CEINTURE ÉCHARPE

DEVANT

Avec des aig. 4,5 mm (n° 7) et A, B et C retenus ens., mont
50 (58) m.

Rangs 1 et 3 : * 1 m. end., 1 m. env. ; rép de * jusqu'à la dernière m.

Rang 2 : * 1 m. env., 1 m. end. ; rép. de * jusqu'à la dernière m.
Changez vos aiguilles pour des 5,5 mm (n° 9).

Rangs 4 à 6 : Rép. rangs 2, 1 et 2.

Rangs 7 et 9 : 1 m. end., [1 m. env., 1 m. end.] deux fois, [4 m. end.,
4 m. env.] 5 (6) fois, [1 m. env., 1 m. end.] deux fois, 1 m. env.

Rangs 8 et 10 : 1 m. env., [1 m. end., 1 m. env.] 2 fois, [4 m. end.,
4 m. env.] 5 (6) fois, [1 m. end., 1 m. env.] deux fois, 1 m. end.

Rangs 11 et 13 : 1 m. end., [1 m. env., 1 m. end.] deux fois, [4 m.
env., 4 m. end.] 5 (6) fois, [1 m. env., 1 m. end.] deux fois, 1 m. env.

Rangs 12 et 14 : 1 m. env., [1 m. end., 1 m. env.] deux fois, [4 m.
env., 4 m. end.] 5 (6) fois, [1 m. end., 1 m. env.] deux fois, 1 m. end.

Rangs 15 à 22 : Rép. rangs 7 à 14.

Rangs 23 à 26 : Rép. rangs 7 à 10.

Rangs 27 à 29 : Rép. rangs 1 à 3.
Changez vos aiguilles pour des 4,5 mm (n° 7).

Rangs 30 et 31 : Rép. rangs 2 et 1.
Rab. lâchement le rang 2 suiv. le modèle.

ATTACHE

Avec l'end. face à vous et A et B retenus ens., utilisez des aiguilles
4,5 mm (n° 7) pour prendre les 19 m. le long de la lisière de côté
du devant.

Rang 1 (env.) : [1 m. end., 1 m. env.] ds rang.

Rang 2 : Tricotez end.

Rang 3 : Tricotez env.

Rang 4 : 2 m. end., 2 m. end. ens., tricotez end. jusqu'aux
dernières 4 m., 2 m. end. ens., 2 m. end.

Rangs 5 à 10 : Rép. rangs 1 et 2 [11 m.]

Rangs 11 à 31 : Travaillez en p. jers.
Changez vos aiguilles pour des 5,5 mm (n° 9).

Rang 32 : Rép. rang 3 [9 m.]

Rangs 33 à 51 : Travaillez en p. jers.

Rang 52 : Rép. rang 3. [7 m.]

Rangs 53 à 71 : Travaillez en p. jers.

Rang 72 : 1 m. end., 2 m. end. ens., tricotez end. jusqu'aux
dernières 3 m., 2 m. end. ens., 1 m. end. [5 m.]

Rangs 73 à 91 : Travaillez en p. jers.

Rang 92 : 1 m. end., 2 m. end ens., 2 m. end. [4 m.]

Rangs 93 à 99 : Travaillez en p. jers.

Rang 100 : 1 m. end., 2 m. end. ens., 1 m. end. [3 m.]

Rangs 100 à 150 : Travaillez en p. jers.
Rab. Rép. sur l'autre côté.

GLANDS

Fabriquez deux glands de 7,5 cm (3 po) avec le fil C. Embellissez le
dessus de chaque gland en y cousant deux boutons (un à l'avant et
un à l'arrière) et quatre perles (à l'opposé des boutons). Vous pouvez
aussi embellir les glands de toutes les façons qui vous plaisent.

POUR LA FINITION

Au goût, cousez les rebords des attaches pour former des tubes,
en commençant à 12,5 cm (5 po) de l'extrémité. Fixez les glands aux.

> **ASTUCE**
>
> Il est judicieux de passer une aiguille à coudre enfilée
> au centre du gland à plusieurs reprises pour fixer les fils
> qui ont une tendance naturelle à glisser.
>
> Cirez votre fil pour réduire l'emmêlement
> et pour le renforcer.

Variation de style

*La ceinture
transforme en un
clin d'œil l'allure
d'un pantalon
habillé uni.*

Ceinture feutrée

avec garniture perlée

Cette attrayante ceinture est l'accessoire idéal. Elle est élégante lorsque portée avec une veste classique noire. Avec un jean et un t-shirt blanc, elle accentue le contraste de couleurs. La ceinture est travaillée avec un point de jarretière simple. Puis le tissu est transformé grâce à un procédé de feutrage (foulage) qui resserre la texture et crée une création lisse et solide pour la garniture perlée.

NIVEAU DE DIFFICULTÉ
Débutant

TAILLES
P/M/G

MESURES
Mesures
(après le feutrage)
■ Longueur : environ 83,5/91,5/99 cm (33/36/39 po)
■ Largeur : environ 15 cm (6,25 po)

FOURNITURES
■ 144 m (158 verges)
  laine de poids moyen, de couleur noire (85 g)
■ Paire d'aiguilles 5,5mm (n° 9)
■ Garniture perlée 10,2 x 91,5/99/106,5 cm
  (4 x 36/39/42 po)
■ Garniture perlée étroite 4 cm x 35,5 cm (1,5 x 18 po)
■ Trois paires d'agrafes recouvertes, 2 cm (0,75 po)
■ Aiguille à coudre et fil assorti
■ Aiguille à tapisserie
■ Épingles droites
■ Pour le feutrage : lessiveuse, ruban à mesurer, sac-
  filet, détergent à lessive, serviette non pelucheuse.

ÉCHANTILLON
Un carré de 10 cm (4 po) = 16 mailles et 8 rangs,
point mousse, aiguilles 5,5 mm (n° 9) avant le feutrage
(ou ajustez vos aiguilles pour obtenir l'échantillon).

ABRÉVIATIONS
Voir page 83.

CEINTURE

Montez 35 m. Tricotez end. chaque rang jusqu'à ce que la ceinture mesure 96,5 cm, 106 cm, ou 114,5 cm (38, 42 ou 45 po) de long. Rab. 1 m. gliss. end.

FEUTRAGE

Faire rétrécir la laine pour qu'elle ait une apparence feutrée n'est pas un art de précision. La triple action du savon, de l'eau et de l'agitation fait rétrécir la laine dans des proportions qui sont difficiles à contrôler. Toutefois, le feutrage crée une texture attrayante et solide qui fait disparaître les mailles ou presque. Cet effet peut servir à la tricoteuse novice pour cacher quelques erreurs qui sont bien normales dans le processus d'apprentissage.

1. Insérez la ceinture dans un sac-filet ou une taie d'oreiller que vous pouvez fermer solidement. Placez le sac dans la lessiveuse avec du détergent, puis lavez à l'eau chaude avec rinçage à l'eau froide. Pour augmenter la friction – une portion essentielle du processus – ajoutez des articles non pelucheux dans la lessiveuse (une paire de jeans délavés fera l'affaire). Observez souvent la ceinture pour s'assurer qu'elle ne rétrécit pas trop !
2. Lorsque le cycle est terminé ou que le tricot a la taille désirée, sortez-le et déposez-le à plat sur une serviette. Au besoin, répétez l'étape 1 jusqu'à ce que le tissu ait la taille désirée.
3. Bloquez le tissu mouillé sur la serviette, en l'aplatissant et en l'étirant pour lui donner la forme d'une bande uniforme de 84/ 91,5/99 x 16 cm (33/36/39 x 6,25 po). Laissez sécher complètement.

DÉCORER

1. Déposez la ceinture à l'horizontale sur une surface plane.
2. Centrez et épinglez la garniture large perlée à la ceinture, en repliant par dessous les lisières brutes aux extrémités et en les épinglant pour les fixer.
3. Enfilez une aiguille à coudre de fil assorti et cousez la garniture à la ceinture, à l'aide de courts points avant, comme suit : commencez à la courte extrémité, continuez le long d'un côté, en ajustant la garniture au besoin ; revenez à l'extrémité courte et cousez le long de l'autre côté, en gardant la garniture à plat ; cousez le second côté court à la ceinture ; puis, à l'aide de minuscules points, fixez la section centrale de la garniture à la ceinture. Retirez les épingles.
4. Pour terminer, mesurez et coupez deux longueurs égales de garniture étroite à la largeur de la ceinture plus 2,5 cm (1 po).
5. Déposez une longueur de garniture sur le rebord extérieur de la ceinture, en repliant par dessous les lisières brutes au haut et au bas de l'envers du tissu.
6. Fixez la garniture à l'aide de courts points avant.
7. Répétez les étapes 5 et 6 pour fixer la deuxième longueur de garniture à l'extrémité opposée de la ceinture.

FERMETURES

Positionnez et cousez les agrafes sur l'envers de la ceinture, en suivant le diagramme ci-dessous, ou comme vous le souhaitez.

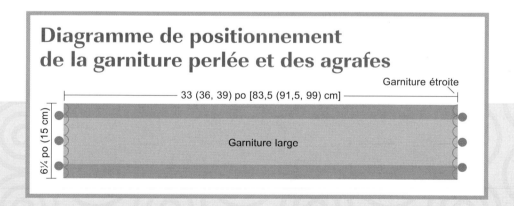

Diagramme de positionnement de la garniture perlée et des agrafes

Garniture étroite

33 (36, 39) po [83,5 (91,5, 99) cm]

6¼ po (15 cm)

Garniture large

◜ASTUCE◞

Pour créer un style estival, remplacez le fil foncé par des couleurs vives ou pastel. Ajoutez une large garniture en dentelle de couleur assortie ou coordonnée.

Vous pouvez aussi fabriquer une ceinture feutrée avec du fil blanc, y ajouter une garniture en dentelle très large qui sera agrémentée de perles, cristal et paillettes de couleur crème. La ceinture deviendra un élément central de votre garde-robe.

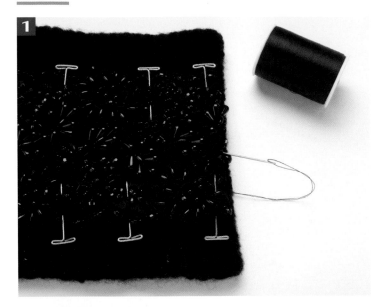

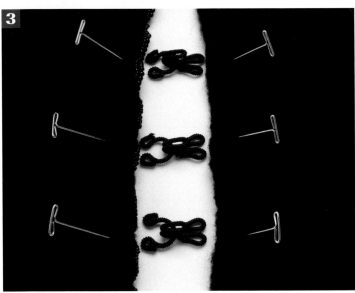

Le secret de l'ajout de la garniture en perlée

1. Centrez et épinglez la garniture large à la ceinture, en repliant par-dessous les courtes extrémités de la garniture. Fixez les couches en y insérant des épingles à la verticale, dans le sens d'étirement naturel du tissu. Veillez à ce que les plis soient bien nets et égaux. Si des perles deviennent lâches pendant que vous travaillez, gardez-les de côté. Vous pourrez les ajouter à la garniture une fois celle-ci fixée. Cousez la garniture à la ceinture avec un fil double sur une aiguille, sans tirer trop fort sur le fil, pour que la bande demeure à plat. Tentez de dissimuler vos points entre les perles pour lui conférer une apparence professionnelle.

2. Centrez et épinglez une longueur de garniture étroite du côté court de la ceinture, en repliant par dessous les lisières brutes au haut et au bas de l'envers du tissu. (Au besoin, renforcez certaines perles à l'aide d'une aiguille enfilée et de colle.) Soyez consciente que la garniture ajoutera du poids aux extrémités courtes de la ceinture. L'épaisseur ainsi créée ajoutera de la structure à la ceinture. Cousez la garniture en place, en dissimulant les points entre les perles, en épinglant le rebord de la garniture à la garniture appliquée à l'étape 1. Répétez pour ajouter la garniture à l'autre côté de la ceinture.

3. Positionnez et cousez les trois ensembles d'agrafes aux extrémités de la ceinture. Remarquez que les agrafes utilisées ici sont enveloppées de soie; les agrafes en métal sont donc dissimulées sous des embobinages de fil épais qui s'agence gentiment au tissu. Pour coudre une paire, commencez pas retourner la ceinture à l'envers. Ajustez les extrémités pour qu'elles s'alignent aussi précisément que possible. (Le tissu tricoté et feutré a tendance à rapetisser inégalement. Il est donc possible que les extrémités ne soient pas identiques.) Utilisez des épingles en « T » pour marquer l'emplacement de chaque paire. Puis cousez-les, une paire à la fois.

La ceinture feutrée est une pièce signature, peu importe si vous la portez avec une veste habillée ou avec un jean et une chemise oxford. L'attrait de cette ceinture réside dans son fort caractère. Extralarge et épaisse, elle mêle adroitement tissu tricoté, bandes de perles et dentelle. Doux au toucher mais suffisamment solide pour se tenir à la taille sans plisser, le tricot feutré donne à la ceinture la structure nécessaire, sans trop serrer la taille. Pour ajouter davantage de style lorsque vous portez la ceinture, agencez-la à d'autres accessoires exceptionnels comme un chapeau et des bottes de cowboy, ou tout autre élément unique de votre garde-robe.

Variation

Au lieu d'appliquer une bande de perles noires ou d'une couleur qui s'agence à la ceinture, vous pourriez y ajouter des appliqués brodés. Ici, des motifs floraux composent une jolie bordure fixée au haut et au bas de la ceinture tricotée. Pour un style paysan, choisissez cœurs, fleurs et feuillage.

Ceinture Vintage
rose
les douces teintes du printemps

Cette ceinture de laine ultra féminine réalisée au point de riz est décorée d'une boucle de ceinture s'inspirant des années 1940.

Tricotée sur de petites aiguilles, la bande est faite d'un double brin de fil extrafin de couleur pastel qui produit une ceinture ferme et réversible qui ne s'entortillera pas.

NIVEAU DE DIFFICULTÉ
Débutant

MESURES
- Longueur : 80 cm (31,5 po)
- Largeur : 6,5 cm (2,5 po), excluant la patte de la boucle. (Ajustez les mesures selon la personne qui la porte.)

FOURNITURES
- 125 m (137 verges) laine de poids léger, de couleur rose (50 g)
- Paire d'aiguilles 2,75 mm (n° 2)
- Une boucle de plastique ronde (7 x 7,5 cm [2,75 x 2,25 po]) de couleur bleue
- Aiguille à tapisserie

ÉCHANTILLON
Un carré de 10 cm (4 po) = 20 mailles et 29 rangs, point de riz, aiguilles 2,75 mm (n° 2) (ou ajustez vos aiguilles pour obtenir l'échantillon).

ABRÉVIATIONS
Voir page 83.

Le point de riz est facile à mémoriser : les points qui sont tricotés à l'endroit sur un rang sont tricotés à l'envers sur le rang suivant, et les points qui sont tricotés à l'envers sur un rang sont tricotés à l'endroit sur le rang suivant. En alternant des mailles à l'endroit et des mailles à l'envers, on crée un tissu délicat à la texture visible. Lorsque la bande est agencée avec une boucle lustrée, on crée une ceinture à l'élégance classique.

Variation de style

Un des éléments clés du style de la ceinture est sa boucle.

Ici, une boucle rectangulaire actualise le style Vintage

de la ceinture.

CEINTURE

Avec 2 brins de fil A retenus ens. (dont un bout provenant de l'intérieur de la pelote et l'autre de l'extérieur), monté 12 m.
Rang 1 : * 1 m. end., 1 m. env. ; rép. de * jusqu'à la fin.
Rang 2 : * 1 m. env., 1 m. end. ; rép. de * jusqu'à la fin.
Rép. rangs 1 et 2 en p. riz jusqu'à ce que la pièce mesure 78,5 cm (31 po) de long, ou jusqu'à obtention de la longueur désirée.

PATTE

Rang 1 : m. end. ens., * 1 m. end., 1 m. env. ; rép. de * jusqu'à la fin.
Rang 2 : 2 m. end. ens., * 1 m. env., 1 m. end. ; rép. de * jusqu'à la dernière m., 1 m. env.
Rang 3 : 2 m. end. ens., * 1 m. env., 1 m. end. ; rép. de * jusqu'à la fin.
Rang 4 : 2 m. end. ens., * 1 m. end., 1 m. env. ; rép. de * jusqu'à la dernière m., 1 m. end.
Rang 5 : 2 m. end. ens., * 1 m. end., 1 m. env. ; rép. de * jusqu'à la fin. [7 m.]
Rang 6 : * 1 m. env., 1 m. end. ; rép. de * jusqu'à la dernière m., 1 m. env.
Rép. rang 6 sur 4 cm (1½ po).
Rab., en laissant un bout de 15 cm (6 po).

FINITION

1. Avec l'envers de la boucle qui vous fait face, enfilez la patte autour de la tige centrale, et revenez à l'envers.
2. Repliez la patte et fixez-la à l'aide d'une aiguille à tapisserie et de la queue du fil.

CONSEILS UTILES

Ajustement :

L'ajustement de la ceinture se fait tout simplement en mesurant la taille de la personne qui la portera et en ajoutant quelques centimètres de plus pour pouvoir l'attacher. Réduisez la longueur du rabat, au goût, ou augmentez-la pour former une pièce assez longue pour être enroulée autour de la ceinture.

ASTUCE
Parfaite pour être portée à la taille d'une jolie jupe ou d'une robe pour un style classique élégant, elle peut aussi être portée avec un jean.

Brassards torsadés

féminins et originaux

Faits d'un fil bleu pâle très doux, ces brassards ressortent gaiement des manches d'un manteau ou d'une veste, tout en vous réchauffant lors des journées froides. Ils peuvent facilement être portés sous ou sur un chandail à manches longues, ou comme complément de style à un chandail à manches courtes. Ils sont aussi très jolis avec une blouse ou une robe brodée.

NIVEAU DE DIFFICULTÉ
Intermédiaire

TAILLES
P/M (G/TG)

MESURES
- Longueur : 32 cm (12,5 po) sans les volants
- Circonférence du poignet : 15 (19) cm [6 (7,5) po]
- Circonférence du bras : 23 (26,5) cm [9 (10,5) po]
- Volant : 5 cm (2 po)

FOURNITURES
- 231 m (252 verges) cachemire ou mélange de cachemire de poids moyen de couleur bleu pâle
- Paire d'aiguilles 4,5 mm (n° 7) et 5,5 mm (n° 9)
- Aiguilles auxiliaires
- Aiguille à tapisserie

ÉCHANTILLON
Un carré de 10 cm (4 po) = 24 mailles et 26 rangs, côte 2/2 (2 end, 2 env.), aiguilles 4,5 mm (n° 7) (ou ajustez vos aiguilles pour obtenir l'échantillon.

ABRÉVIATIONS
Voir page 83.

POINTS SPÉCIAUX

Tricotez à l'endroit en avant et en arrière (end. av. arr.):
Tricotez à l'endroit à l'avant et à l'arrière de la prochaine maille.

Augmentez d'une m. (aug. d'une): Tricotez dans la maille du rang en-dessous. De cette façon, l'augmentation est presque invisible et peut être travaillée à partir de la droite ou de la gauche (comme sur ce modèle) de la maille.

4 mailles croisées sur le devant ou 4 mailles croisées sur la gauche (torsade sur 4 m. end. croisée à gauche) utilisez 4 m. cons.): Faites glisser 2 m. sur l'aig. aux. torsade et maintenez-les à l'arrière; tricotez 2 mailles endroit de l'aig. g.; puis tricotez 2 mailles endroit de l'aig. aux. torsade.

BRASSARD (EN FAIRE DEUX)

Avec des aiguilles n° 7 (4,5 mm) et la couleur A, mont. 34 (42) m.
Rang 1: End. 1 m. end., * [1 m. env., 1 m. end.] 2 (4) fois, 1 m. env., 4 m. end.; rép. de * jusqu'aux dernières 6 m.; finissez [1 m. env., 1 m. end.] 3 (5) fois.
Rang 2: 1 m. env., * [1 m. end., 1 m. env.] 2 (4) fois, 1 m. end., 4 m. env.; rép. de * jusqu'aux dernières 6 m.; finissez [1 m. end., 1 m. env.] 3 (5) fois.
Rang 3: 1 m. end., * [1 m. env., 1 m. end.] 2 (4) fois, 1 m. env., torsade sur 4 m. end. à droite; rép. de * jusqu'aux dernières 6 m.; finissez [1 m. env., 1 m. end.] 3 (5) fois.
Rang 4: Rép. rang 2:
Rangs 5 à 28: Rép. [rangs 1 à 4] 6 fois.
Rang 29: [1 m. end., 1 m. env.] 2 (4) fois, tricotez end. et aug. d'une m. toutes dans le m. suiv., 1 m. env., * 4 m. end., [1 m. env., 1 m. end.] deux fois, 1 m. env.; rép. de * jusqu'aux dernières 10 m., 4 m. end., 1 m. env., tricotez end., et aug. d'1 m. toutes les m. suiv., [1 m. env., 1 m. end.] 2 (4) fois. [38 (46) m., 8 (12) m. dans chaque bordure de côtes.]

ASTUCE

Une fois les quatre premiers rangs terminés – à l'exception des torsades du rang 3 – tout ce qu'il vous reste à faire est de tricoter les mailles à l'endroit et de tricoter les mailles à l'envers.

Remettez le compteur de rangs à zéro après chaque ensemble de quatre rangs, consignez chaque ensemble une fois complété.

Il est plus facile de relever des mailles avec une aiguille plus petite que celle utilisée pour tricoter le vêtement.

Rangs 30 à 46: Continuez le modèle tel qu'établi, en incorporant 4 m. supplémentaires de bordure.
Rang 47: [1 m. end., 1 m. env.] 2 (4) fois, Tricotez endr. et aug. d'une m. toutes dans la m. suiv., 1 m. env., 1 m. end., 1 m. env., * 4 m. end., [1 m. env., 1 m. end.] deux fois, 1 m. env.; rép. de * jusqu'aux 2 dernières m., 4 m. end., 1 m. env., 1 m. end., 1 m. env., tricotez end. et aug. d'une m. dans m. suiv., [1 m. env., 1 m. end.] 2 (4) fois. [42 (5o) m., 10 (14) m. dans chaque bordure de côtes]
Rangs 48 à 64: Continuez le modèle tel qu'établi, en incorporant 4 m. de bordure supplémentaires.
Rang 65 (aug.): [1 m. end., 1 m. env.] 2 (4) fois, tricotez end. et aug. d'une toutes dans m. suiv., [1 m. end., 1 m. env.] deux fois; 1 m. env., * 4 m. end., [1 m. env., 1 m. end.] 2 fois, 1 m. env.; rép. de * jusqu'aux dernières 14 m., 4 m. end., [1 m. env., 1 m. end.] deux fois, 1 m. env., tricotez end. et aug. d'une m. toutes dans m. suiv., [1 m. env., 1 m. end.] 2 (4) fois. [46 (54) m., 12 (16) m. dans bordure de côtes.
Rangs 66 à 76: Continuez le modèle tel qu'établi, en incorporant 4 m. de bordure supplémentaire.
Rang 77: 1 m. end., [1 m. env., 1 m. end.] 8 (10) fois, aug. 1 m., 1 m. env., [1 m. end., 1 m. env.] 3 fois, 2 m. ens. end., [1 m. env., 1 m. end.] 10 (12) fois.
Rang 78: * 1 m. env., 1 m. end.; rép. de * jusqu'à la dernière m., 1 m. env.
Rang 79: * 1 m. env., 1 m. end.; rép. de * jusqu'à la dernière m., 1 m. end.
Rab. le rang 78 suiv.

VOLANT

Avec l'end. face à vous, prenez 34 (42) mailles le long de la lisière du poignet. Changez vos aiguilles pour des 4,5 mm (n° 7) utilisez un n° d'aiguille plus petit pour monter les m., c'est plus facile.
Rang 1: Tricotez env.
Rang 2: Tricotez end.
Rang 3: Tricotez env.
Rang 4: * tricotez end., aug, 1 m. dans chacune des m. suivantes rép. de * jusqu'à la fin. [68 (84) m.]
Changez vos aiguilles pour des 5,5 mm (n° 9).
Rang 5: Tricotez env.
Rang 6: Tricotez end.
Rang 7: Tricotez env.
Rang 8: * Tricotez end. aug. 1 m. dans chacune des m. suivantes; rép. de * jusqu'à la fin. [136 (168) m.]
Rang 9: Tricotez env.
Rang 10: Tricotez end.
Rab. 1 m. gliss. env.

FINITION

Bloquez les brassards aux mesures. Avec le fil A et l'endroit face à vous, cousez les coutures par les centres des mailles du bord.

REMARQUE: *Si vous avez aimé les câbles à tricoter pour créer le mini poncho douillet, vous serez heureuse d'avoir cette nouvelle occasion de les utiliser. Cette fois, plutôt que de créer de grosses torsades avec de grosses aiguilles et câbles à tricoter, vous utiliserez de plus petites aiguilles et câbles pour produire des torsades plus délicates.*

Gants sans doigts

une combinaison de style et de substance

Ces gants sans doigts – ou gantelets – ont tout : la forme et l'utilité ! On les amorce avec un motif dentelé traditionnel ; puis la main est tricotée sans doigts, ce qui leur confère une touche moderne ; et finalement, on les embellit de magnifiques boutons. En plus, ils gardent vos bras et vos mains au chaud ! Portez-les souvent et habituez-vous à recevoir des compliments...

NIVEAU DE DIFFICULTÉ
Intermédiaire

MESURES
- Longueur : 38 cm (15 po)
- Circonférence du poignet : 20,5 cm (8 po)
- Circonférence du bras : 38 cm (15 po) boutonné

FOURNITURES
- 180 m (198 verges) mélange de mohair/acrylique de poids léger, de couleur grenat (50 g) (A)
- 150 m (162 verges) mélange de laine mérino/cachemire de poids léger, de couleur grenat (25 g) (B)
- Paire d'aiguilles 4 mm (n° 6)
- Ensemble de cinq aiguilles double-pointe 3,75 mm (n° 5)
- Aiguille à tapisserie
- Dix boutons ronds de 16 mm (⅝ po)

ÉCHANTILLON
Un carré de 10 cm (4 po) = 24 mailles et 28 rangs, côte 3/2 (3 end, 2 env.), aiguilles 4 mm (n° 6) (ou ajustez vos aiguilles pour obtenir l'échantillon).

ABRÉVIATIONS
Voir page 83.

GANTS

GANT DROIT

En utilisant des aiguilles 4 mm (n° 6) et un brin de couleur A et un brin de couleur B retenus ens., mont 50 m.

Rang 1 : Env. [15 m. env., placer un anneau marqueur] 3 fois, * [1 m. end., 1 m. env.] deux fois, 1 m. end. *

Rang 2 : * [1 m. end., 1 m. env.] deux fois, 1 m. end. *, [1 m. end., j., 3 m. end., 1 surj. s., 1 jeté, 1 surj. s. 2 m. env., j., 2 m. ens. end., 3 m. end., 1 j., 1 m. end.] 3 fois.

Rang 3 : Tricotez end. jusqu'à l'anneau marqueur, * [1 m. end., 1 m. env.] deux fois, 1 m. end. *.

Rang 4 : * [1 m. end., 1 m. env.] deux fois *, 1 m. end., tricotez env. jusqu'à la fin du rang.

Rangs 5 à 8 : Rép. rangs 1 à 4.

Rang 9 (boutonnière) : Tricotez env. jusqu'à l'anneau marqueur, * 1 m. end., reliez les 2 prochaines m., 1 m. end. *.

Rang 10 : * 1 m. end., 1 m. env., mont. 2 m., 1 m. end. *, [1 m. end., j. 3 m. end., 1 surj. s., 1 j., 1 surj.s. 2 m. env., j., 2 m. ens end., 3 m. end., 1 j., 1 m. end.] 3 fois.

Rangs 11 et 12 : Rép. rangs 3 et 4.

Rang 13 : Tricotez env. jusqu'à l'anneau marqueur, * [1 m. end., 1 m. env.] deux fois, 1 m. end. *.

Rang 14 : * [1 m. end., 1 m. env.] deux fois, 1 m. end. *, [1 m. end., j., 3 m. end., 1 surj. s., 1 j., 1 surj. s. 2 m. env., j., 2 m. ens. end., 3 m. end., j., 1 m. end.] 3 fois.

Rang 15 et 16 : Rép. rangs 13 et 14.

Rang 17 : Tricotez end. jusqu'à l'anneau marqueur, * [1 m. end., 1 m. env.] deux fois, 1 m. end. *.

Rang 18 : Rép. rang 14.

Rangs 19 et 20 (boutonnière) : Rép. rangs 9 et 10.

Rang 21 : Tricotez end. jusqu'à l'anneau marqueur, * [1 m. end., 1 m. env.] deux fois, 1 m. end. *.

Rang 22 : * [1 m. end., 1 m. env.] deux fois, 1 m. end. *, [1 m. end., j., 3 m. end., 1 surj. s., 1 j., 1 surj.s. 2 m. env., j., 2 m. ens end., 3 m. end., j., 1 m. end.] 3 fois.

Rang 23 : Tricotez env. jusqu'au dernier anneau marqueur, * [1 m. end., 1 m. env.] deux fois, 1 m. end. *.

Rangs 24 à 30 : Rép. rangs 22 et 23.

Rangs 31 et 32 (boutonnière) : Rép. rangs 9 et 10.

Rang 33 : Tricotez end. jusqu'à l'anneau marqueur, * [1 m. end., 1 m. env.] deux fois, 1 m. end. *.

Rang 34 : * [1 m. end., 1 m. env.] deux fois, 1 m. end. *, tricotez env. jusqu'à la fin du rang.

Rang 35 : Tricotez env. jusqu'au dernier anneau marqueur, * [1 m. end., 1 m. env.] deux fois, 1 m. end. *.

Rang 36 : * [1 m. end., 1 m. env.] deux fois, 1 m.end. *, [1 m. end., 1surj, s., 1j., 1 surj.s. 2 m. env., j., 2 m. ens. end., 2 m. end., j., 1 m. end.] 3 fois.

Rangs 37 à 42 : Rép. rangs 35 et 36.

Rangs 43 et 44 (boutonnière) : Rép. rangs 9 et 10.

Rangs 45 à 54 : Rép. rangs 35 et 36.

Rangs 55 et 56 (boutonnière) : Rép. rangs 9 et 10.

Rang 57 : Tricotez end. jusqu'au dernier anneau marqueur, * [1 m. end., 1 m. env.] deux fois, 1 m. end. *.

Changez vos aiguilles pour des aig. double pointe.

Main

Tour 1 : Rab. 5 m., tricotez env. jusqu'à la fin du tour. [45 m.]

Tour 2 : Tricotez env.

Tour 3 : * 3 m. end., 2 m. env. ; rép. de * jusqu'à la fin du tour.
Rép. tour 3 sur 2½ po (6,35 cm) ou jusqu'à l'obtention de la longueur désirée pour la base du pouce.

Ouverture pour le pouce

Prochain tour : 25 p. côtes (3/2), rabattez les 8 m. suiv., procédez avec le p. côtes jusqu'à la fin du tour.

Prochain tour : 25 p. côtes, mont. 8 m., procédez avec le p. côtes jusqu'à la fin du tour.
Continuez de rép. le tour 3 sur 5 cm (2 po) ou jusqu'à l'obtention de la longueur désirée.
Rab. fermement le modèle.

Pouce

Avec des aig. dble pte et les couleurs A et B retenues ens., montez 8 m. dans les m. rab., en montant 1 m. dans le coin, 8 m. dans les m. mont., 1 m. dans le coin, placez un anneau marqueur.

Tour suiv. : [7 m. end., 1 surj. s.] deux fois. [16 m.]
Travaillez un nombre pair de p. jers. (tricotez end. tous les tours) sur 1¾ po (4,5 cm) ou jusqu'à l'obtention de la grandeur désirée.
Rab. 1 m. gliss.

GANT GAUCHE

Travaillez de la même façon que pour le gant droit en tenant compte des exceptions suivantes :
Si les mailles entre * * (bande de boutonnières) tombent à la fin d'un rang, travaillez-les au commencement du rang.
Si les mailles entre * * (bande de boutonnières) tombent au commencement d'un rang, travaillez-les à la fin du rang.

Rang 58 : Tricotez env.

Travaillez le rang 59 : Rab. 5 m., tricotez end. jusqu'à la fin du rang. [45 m.]
Changez vos aiguilles pour des aig. dble pte.

Main

Tour 1 : * 2 m. env., 3 m. end. ; rép. de * jusqu'à la fin du tour.
Rép. Tour 1 sur 2½ po (6,35 cm) ou jusqu'à l'obtention de la longueur désirée pour la base du pouce.

Ouverture pour le pouce

Prochain tour : 17 p. côtes, rab. 8 m. suiv., procédez avec le p. côtes jusqu'à la fin du tour.

Prochain tour : 17 p. côtes, mont. 8 m., procédez avec le p. côtes jusqu'à la fin du tour.
Finissez ce qu'il reste du gant gauche de la même façon que pour le gant droit.

FINITION

1. Superposez les mailles rabattues de la bride de boutonnière et cousez-les en place.
2. Cousez les boutons du côté opposé des boutonnières.

ASTUCE

Essayez d'utiliser deux aiguilles circulaires en plastique de 20,5 cm (8 po) au lieu des aiguilles double-pointe 3,75 mm (n° 5).

Sac à main douillet

avec poignées de bois

Ce volumineux fil à tricoter 100 % laine est un plaisir à travailler. Pendant que vous tricotez, vous apprécierez sa douceur et les riches couleurs saturées du brin qui passent d'une couleur pastel à l'autre. La laine blanche utilisée pour créer la bordure, les boutons turquoise et les poignées de bois complètent la liste de matières naturelles utilisées pour ce projet. Amusante à fabriquer, le sac est encore plus agréable à porter.

NIVEAU DE DIFFICULTÉ
Débutant

MESURES
■ Hauteur : 20,5 cm (7,5 po), sans poignée
■ Largeur : 30 cm (11,5 po)

FOURNITURES
■ 50 m (54,5 verges) laine de poids très lourd, de couleur blanche (100 g) (A)
■ 74 m (80 verges) laine de poids lourd, de couleur blanche (50 g) (B)
■ Paire d'aiguilles 4,5 mm (n° 7) et 9 mm (n° 13)
■ Ensemble de poignées de bois pour sacoche : 10 x 16,5 cm (4 x 6 po)
■ Aiguille à tapisserie
■ 10 boutons

ÉCHANTILLON
Un carré de 10 cm (4 po) = 9,5 mailles et 13 rangs, point jersey sur aiguilles 9 mm (n° 24) (ou ajustez vos aiguilles pour obtenir l'échantillon).

ABRÉVIATIONS
Voir page 83.

SACOCHE

Avec des aiguilles 9 mm (n° 13) et la couleur A, mont. 17 m.

Rang 1 : Tricotez end.

Rang 2 : Tricotez env.

Rang 3 : 5 m. end., aug. 1 m., tricotez end. jusqu'aux 5 dern. m., aug. 1 m., 5 m. end. [19 m.]

Rangs 4 à 6 : p. jers. (tricotez end. sur l'end, et tricotez env. sur l'env.).

Rangs 7 à 22 : Rép. [rangs 3 à 6] 4 fois. [27 m. après le rang 22]

Rang 23 : Rép. rang 3 [29 m.]

Rang 24 : Tricotez env.

Rang 25 : 5 m. end., 2 m. ens. end. ; tricotez end. jusqu'aux dernières 6 m. ; 2 m. ens. end., 4 m. end. [27 m.]

Rangs 26 à 28 : p. jers.

Rangs 29 à 44 : Rép. [rangs 25 à 28] 4 fois. [19 m. après le rang 44]

Rang 45 : 5 m. end., 2 m. ens. end. ; tricotez end. jusqu'aux dernières 6 mailles ; 2 m. ens. end., 4 m. end. [17 m.]

Rang 46 : Tricotez env.

Rang 47 : Tricotez end.

Rab. 1 m. env. gliss.

BORDURE (en faire 2)

Avec des aiguilles 4,5 mm (n° 7) et la couleur B, mont. 32 m., en laissant un long bout pour la finition.

Rangs 1 à 8 : p. jers.

Rangs 9 et 10 : * 1 m. end., 1 m. env. ; rép. de * jusqu'à la fin.

Rangs 11 et 12 : * 1 m. env., 1 m. end. ; rép. de * jusqu'à la fin.

Rangs 13 à 16 : Rép. rangs 9 à 12.

Rab. le rang 9 suiv., en laissant un long bout pour la finition.

FINITION

1. Bloquez les pièces. Pliez la sacoche en deux dans le sens de la longueur, les envers ensemble, pour que les rebords montées et rabattues soient ensemble. Utilisez le fil A pour coudre les coutures latérales, en laissant 2,5 cm (1 po) de la portion supérieure ouverte.

2. Pliez la bordure en deux, dans le sens de la longueur, les envers ensemble. Insérez la base de poignée, centrez et fixez solidement en place. Enfilez la queue dans l'aiguille à tapisserie et refermez les coutures supérieure et latérale, en travaillant autour des poignées. Répétez pour l'autre poignée.

3. Avec les endroits face à face, positionnez la bordure pour qu'elle soit superposée au rebord supérieur de 2,5 cm (1 po), à l'aide du fil B, et cousez en place. Répétez pour l'autre côté.

4. Fixez cinq boutons uniformément espacés de chaque côté de la bordure. Au goût, vous pouvez réaliser une doublure en tissu et la coudre à l'intérieur de la sacoche.

Les poignées sont un élément très important du style d'une sacoche. Fouinez dans les magasins de tissu, de tricot et de garnitures. Vous y trouverez des poignées de tous les styles. Considérez les poignées de style anneau en bambou, et agencez-les à une sacoche tricotée avec un fil crème. Pour plus de contraste, fixez des poignées de plastique rouge rectangulaires à une sacoche rouge cardinal.

LES RUDIMENTS DU TRICOT

Pour commencer

Vous êtes inspirée! Vous avez vu un superbe foulard ou un poncho tout ce qu'il y de plus cool, tous deux tricotés de fabuleuse manière, et vous êtes fin prête à commencer à vous en tricoter de semblables.

Que vous soyez une débutante ou une pro du tricot, lisez attentivement les informations contenues dans cette section afin de vous assurer une expérience de tricot non seulement productive mais également amusante.

Tout ce que vous avez besoin de savoir pour tricoter comme une pro.

Outils de base

Comme c'est le cas pour tous les types d'artisanat, tricoter avec les bons outils facilite grandement la tâche. En fait, c'est toute la différence entre se battre avec fils et aiguilles ou passer au travers comme si on avait fait ça toute notre vie, tout en améliorant la qualité du résultat. Voici quelques-uns des outils les plus importants.

1. Ciseaux (les ciseaux à bouts arrondis sont idéaux pour façonner des pompons)
2. Mesure à ourlet et règle
3. Aiguilles émoussées (à bouts arrondis, et à grands chas ; offertes dans diverses tailles)
4. Arrête-mailles (ressemblent à de gosses épingles de sûreté)
5. Épingles en « T » (longues avec de grandes têtes)
6. Ruban à mesurer
7. Crochet à crocheter (ensemble de diverses tailles ; habituellement en plastique)
8. Aiguille auxiliaire pour les torsades
9. Aiguilles auxiliaires pour les torsades [offertes en différents formats et grandeurs ; le choix du format dépend des préférences personnelles, mais la taille (épaisseur) dépend du fil utilisé.
10. Aiguilles auxiliaires fermées
11. Compteur de rang
12. Protège pointe pour aiguille
13. Jauge pour aiguilles à tricoter
14. Aiguilles à tricoter :
    • Droites [25,5 cm (10 po)]
    • Droites [35,5 cm (14 po)]
    • Circulaires (longueurs variables)
    • Double-pointe

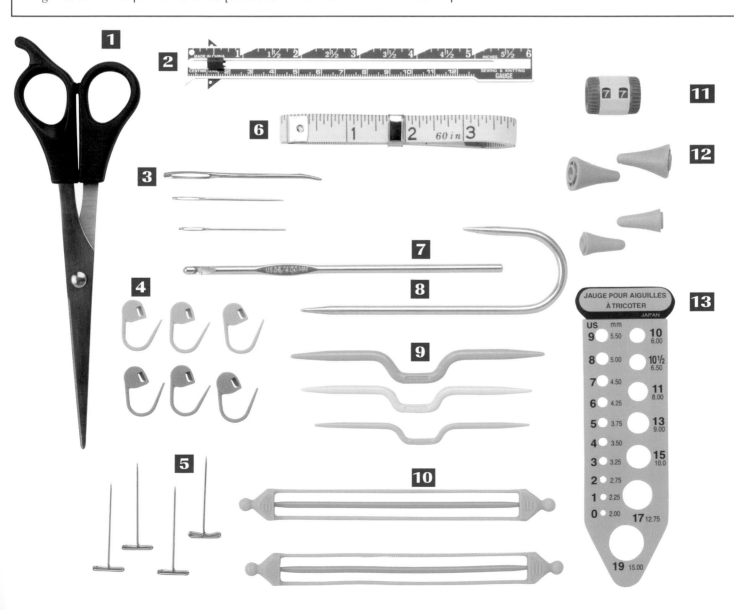

Aiguilles

Les aiguilles à tricoter existent dans une variété de grandeur, de types (droite, circulaire, à double-pointe) et de matières (bois, plastique, aluminium). Il n'y a que vous qui pouvez juger de ce qui convient le mieux pour chaque ouvrage. Si vous êtes une tricoteuse novice, vous allez devoir graduellement vous constituer une collection d'aiguilles.

Lorsque vous choisissez des aiguilles droites ou régulières, vous savez de quelle grandeur vous avez besoin, mais peut-être n'êtes vous pas tout à fait certaine du choix entre les courtes [10 po (25,5 cm)] ou les longues [15 po (35,5 cm)]. Votre décision dépendra du nombre de mailles avec lesquelles vous travaillerez. Ce n'est pas agréable de tricoter lorsque l'on entasse trop de mailles sur de trop courtes aiguilles. Par conséquent, si vous vous retrouvez dans cette situation, il vaudra sans doute la peine que vous investissiez dans de plus longues aiguilles de type régulier ou alors dans des aiguilles circulaires de même taille.

Personnellement, je trouve que les aiguilles circulaires fonctionnent bien pour de gros projets, comme des couvertures ou des jetés de lit, mais peuvent être inappropriées pour de plus petits projets. Le matériel à tricoter devra éventuellement être suffisamment lourd pour pouvoir garder à distance la corde de plastique, afin que vous n'ayez pas à vous débattre continuellement avec elle.

Les aiguilles sont plus communément faites de bois de plastique ou d'aluminium. Expérimentez différents types au fur et à mesure que vous constituez votre trousseau. Gardez la liste de votre inventaire dans votre porte-monnaie. Ainsi, lorsque vous irez magasiner, vous ne risquerez pas de faire l'erreur d'acheter des aiguilles dont vous possédez déjà un exemplaire.

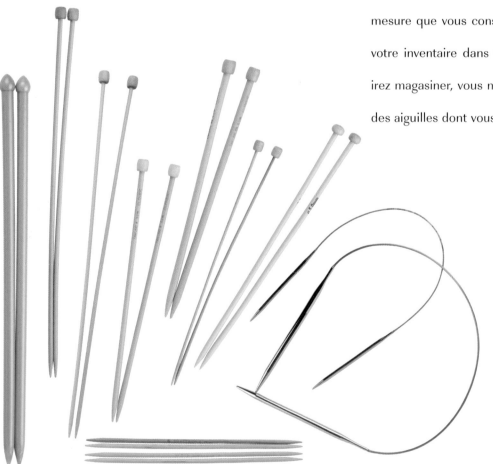

Le choix des aiguilles à tricoter est en fait très personnel. Pour faire votre choix, vous vous baserez sur vos préférences lorsqu'il s'agira de tenir ou de manipuler certaines matières. Certaines tricoteuses préfèrent des aiguilles de bois, d'autres de métal ou de plastique.

Trouvez la bonne grosseur d'aiguilles

Si vous achetez un patron et qu'une taille particulière d'aiguilles est recommandée pour le réaliser, assurez-vous de tricoter un carré de 10 cm x 10 cm (4 po x 4 po) pour obtenir le bon échantillon. Si ce que vous tricotez est plus petit ou plus grand que ce que propose le modèle, alors vous devrez ajuster la taille de vos aiguilles en conséquence. Reportez-vous aux détails fournis dans la section « Réaliser un échantillon » de la page 75, afin de vous assurer que vous vous conformez aux dimensions du patron.

Systèmes utilisés	Mesures américaines	Système métrique	Grandeur	Systèmes utilisés	Mesures américaines	Système métrique	Grandeur	Systèmes utilisés	Mesures américaines	Système métrique	Grandeur
	0	2,00	●	✔	6	4,25	●	✔	11	8	●
	1	2,25	●	✔	7	4,50	●	✔	13	9	●
✔	2	2,75	●	✔	8	5,00	●	✔	15	10	●
✔	3	3,25	●	✔	9	5,50	●	✔	17	12	●
	4	3,50	●	✔	10	6,00	●	✔	19	16	●
✔	5	3,75	●	✔	10 ½	6,50	●	✔	35	19	●
								✔	36	20	●
								✔	50	25	●

ASTUCE

À chaque fois que vous achetez de nouvelles aiguilles, peinturez d'une couleur différente le bout de l'une des deux. (J'utilise du vernis à ongles.) Ensuite, prenez l'habitude de toujours enfiler sur l'aiguille que vous aurez ainsi marquée. De cette façon, vous saurez si vous avez plus – ou un nombre égal de rangs, ce qui est particulièrement utile lorsque vous suivez un patron.

Quelques types et grandeurs d'aiguilles

- Droite 25,5 cm (10 po)
- Droite 35,5 cm (14 po)
- Circulaire 20,5 cm (8 po) de corde
- Circulaire 140,5 cm (6 po) de corde
- Circulaire 48,5 cm (19 po) de corde
- Circulaire 73,5 (29 po) de corde
- À double pointes

À chaque projet ses aiguilles

Projet	Grandeur n°	Grandeur mm	Aiguille Type	Aiguille longueur
Épinglette gardénia rose	10	(6 mm)	droite	25,4 cm (10 po)
Sautoir dentelle	9	(5,5 mm)	droite	25,4 cm (10 po)
Béret classique	7	(4,5 mm)	circulaire	40,6 cm (16 po)
	7	(4,5 mm)	aiguilles double-pointe	18 à 20 cm (7 à 8 po)
Collier à trois rangs	5	(3,75 mm)	droite	10 po (25, 5 cm)
	9	(5,5 m)	circulaire	16 po (40,5 cm)
Écharpe spiralée corde minimale	10	(6 mm)	circulaire	36 po (91,5 cm)
Écharpe extralongue	17	(12 mm)	droite	14 po (35,5 cm)
Col cagoule corail et gris	7	(4,5 mm)	droite	14 po (35,5 cm)
	10	(6 mm)	droite	10 po (25,5 cm)
	11	(8 mm)	droite	10 po (25,5 cm)
	13	(9 mm)	droite	10 po (25,5 cm)
	15	(10 mm)	droite	10 po (25,5 cm)
	17	(12 mm)	droite	14 po (35,5 cm)
Faux-col avec pompons de fourrure	10	(6 mm)	droite	14 po (35,5 cm)
Col en chenille	11	(8 mm)	régulière	14 po (35,5 cm)
Col bronze orné d'une épinglette	10	(6 mm)	régulière	14 po (35,5 cm)
	13	(9 mm)	droite	14 po (25,5 cm)
	15	(10 mm)	droite	14 po (35,5 cm)
	17	(12 mm)	droite	14 po (35,5 cm)
	19	(16 mm)	droite	14 po (35,5 cm)
	3	(3,25 mm)	droite	14 po (35,5 cm)
	5	(3,75 mm)	droite	14 po (35,5 cm)
Élégant bracelet noir	7	(4,5 mm)	droite	10 po (25,5 cm)
Bracelet perlé	7	(4,5 mm)	droite	10 po (25,5 cm)

Projet	Grandeur n°	Grandeur mm	Aiguille Type	Aiguille longueur
Bracelet perlé à frange perlée	5	(3,75 mm)	droite	10 po (25,5 cm)
Mini col châle	10	(6 mm)	droite	14 po (35,5 cm)
Mini poncho douillet	13	(9 mm)	droite	14 po (35,5 cm)
Boléro dentelle avec col et poignets en fourrure	7	(4,5 mm)	droite	14 po (25,5 cm)
	10	(6,5 mm)	régulière	14 po (35,5 cm)
	11	(8 mm)	droite	14 po (35,5 cm)
	13	(10 mm)	droite	14 po (35,5 cm)
	15	(10 mm)	droite	14 po (35,5 cm)
	17	(10 mm)	droite	14 po (35,5 cm)
	35	(19 mm)	droite	14 po (35,5 cm)
Mini poncho à mailles lâches	35	(19 mm)	droite	14 po (35,5 cm)
Mini cape en fausse fourrure	11	(8 mm)	droite	14 po (35,5 cm)
Gilet de style ballet	8	(5 mm)	droite	14 po (35,5 cm)
	36	(20 mm)	droite	14 po (35, 5 cm)
	8	(5 mm)	droite	12 po (30, 5 cm)
	8	(5 mm)	aiguilles double-pointe	7 po (18 cm)
Ceinture écharpe	7	(5 mm)	droite	14 po (35,5 cm)
	9	(5,5 mm)	droite	14 po (35,5 cm)
Ceinture feutrée avec garniture perlée	2	(2,75 mm)	droite	10 po (25,5 cm)
Ceinture Vintage rose	2	(2,75 mm)	droite	10 po (25,5 cm)
Brassards torsadés	7	(4,5 mm)	droite	10 po (25,5 cm)
	3	(3,25 mm)	droite	10 po (25,5 cm)
Gants sans doigts	6	(5 mm)	droite	16 po (40,5 cm)
	5	(3,75 mm)	aiguilles double-pointe	4 po (10 cm)
Sac à main douillet	13	(10 mm)	droite	14 po (35,5 cm)

Échantillon

Avez-vous dû l'offrir à votre petit frère ? Si seulement elle avait pris le temps de faire un échantillon.

Prendre le temps de bien mesurer et comparer les dimensions avant de commencer un projet est, très franchement, ennuyeux. C'est pourquoi tant de tricoteuses passent par-dessus cette étape. Cependant, si vous vous préoccupez réellement de la taille finale de votre ouvrage, vous ne devriez jamais omettre cette étape. Lorsque vous serez tentée de passer outre, rappelez-vous cet adage : « Mieux vaut être prudente que désolée ».

Il est également important de mesurer les mailles et les rangées avec précision. Rappelez-vous que chaque petit détail compte. Lorsque ceux-ci sont multipliés à la grandeur d'un vêtement, quelques mailles ou rangées peuvent faire une différence importante dans la taille finale du produit.

Si vous tricotez un morceau d'une taille qui ne concorde pas avec les mesures du modèle, vous aurez besoin d'ajuster la taille de vos aiguilles en conséquence. (N'essayez pas de jouer avec l'élasticité de votre tricot.) Si votre exemplaire est plus grand, essayez des aiguilles de taille plus petites ; inversement, s'il est plus petit, prenez de plus grandes aiguilles. Continuez de changer la taille de vos aiguilles tant que vous n'aurez pas trouvé la bonne, celle qui vous permettra d'obtenir la bonne mesure. Vous serez très heureuse de l'avoir fait.

Bien évaluer la taille d'une pièce de vêtement

Tricotez toujours votre pièce de vêtement plus grande que la taille évaluée, afin que vous puissiez facilement placer la règle ou le ruban à mesurer verticalement le long des mailles (pour compter les rangs) et horizontalement (pour compter les mailles). Assurez-vous que la laine soit bien étendue à plat. Cela aide à utiliser une épingle ou une aiguille à tricoter pour confirmer chaque maille que vous aurez comptée. Vérifiez à deux fois le résultat de votre compte.

Fils

Le vingt-et-unième siècle est idéal pour les passionnés du tricot. La variété de fils offerts est simplement extraordinaire. Un plaisir tant pour les yeux que pour les doigts. Parce que les couleurs sont fabuleuses et les fibres exquises, la partie la plus difficile est de limiter nos achats et de demeurer raisonnable. Vous devez le voir pour le croire.

Plusieurs types de fils ont été utilisés dans les projets présentés dans *Créez vos tricots*. Parmi les fibres naturelles, on retrouve le cachemire, le coton, le mérino, le mohair et la laine. D'autres fils sont faits complètement ou partiellement d'une ou de plusieurs fibres synthétiques, telles: l'acrylique, le Crupo, le lycra, les microfibres, le polyester et la rayonne. Les manufacturiers de fils combinent habituellement les fibres naturelles et synthétiques afin de produire des fils qui soient tout à la fois pratiques et beaux.

Certaines tricoteuses puristes continuent à n'utiliser que des fils faits totalement de fibres naturelles. À mon avis, elles se privent de fils fabuleux. Les fabricants de fil améliorent constamment les produits existants tout en en développant de nouveaux.

Une autre façon de catégoriser les fils est d'y aller selon leur texture. Les textures suivantes sont utilisées pour les modèles présentés dans ce livre: chenille, fibranne, duveteuse, fausse fourrure, métallisée, ruban, suède, et épaisse ou fine. Parfois, je tricote à l'aide de deux boucles, voire plus, de fils différents, ou alors je les utilise séparément dans une même pièce.

ASTUCE

Le Craft Yarn Council of America (le Conseil américain des artisans du fil) offre un tableau du système de standardisation des poids des fils utilisés par l'industrie (voir à l'adresse suivante: www.yarnstandards.com).

Finalement, le Craft Yarn Council of America (le Conseil américain des artisans du fil) offre un tableau du système de standardisation des poids des fils utilisés par l'industrie.

Chaque fil se voit attribuer un numéro correspondant à son poids, lequel doit apparaître sur son étiquette. Avec cette information, vous pouvez déterminer la taille des aiguilles recommandées pour chaque type de fil. Aussi, si vous trouvez un modèle mais que vous désirez le réaliser avec un fil différent de celui qu'il propose, mieux vaut utiliser un fil d'un poids similaire. Le tableau ci-dessous illustre le système de poids communément utilisé.

Catégorie de poids	Description
Superfin	Chaussettes, délicat, bébé
Fin	Sport, bébé
Léger	DK, légèrement peignée, fibranne
Moyen	Peigné, Afghan, Aran, bouclé, coton bouclé
Gros	Grosse laine, artisanat, tapis
Extragros	Super grosse laine, boudin

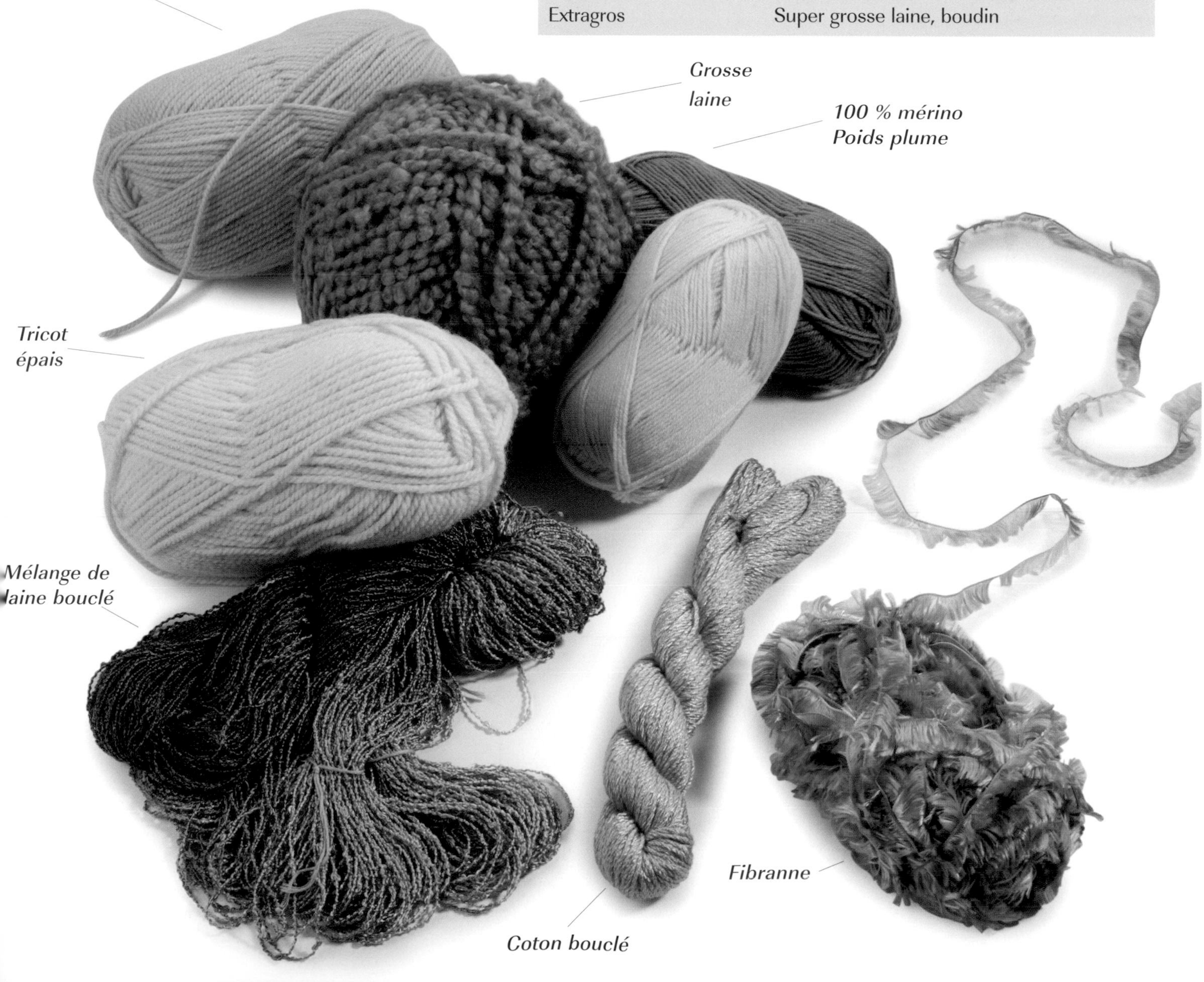

Poids peigné

Grosse laine

100 % mérino Poids plume

Tricot épais

Mélange de laine bouclé

Fibranne

Coton bouclé

Fil ou laine par projet

Project		Fabricant	Type	Couleur
1	Épinglette gardénia rose	Gedifra	Cubetto	n° 1106
		Katia	Sevilla	n° 54
		Muench Yarns	Touch Me	n° 3642
2	Béret classique	Lion Brand	Cashmere Blend	n° 124
3	Collier de dentelle	Artfibers	Biscotti	n° 15
		Artfibers	Houdini	n° 4
		Artfibers	Papyrus	n° 143
4	Collier à trois rangs	Katia	Sevilla	n° 01
		Patons	Katrina	n° 10005
5	Écharpe spiralée	Berroco	Zen	n° 8222
		Katia	Sevilla	n° 56
		Prism	Bon Bon	n° 502
6	Écharpe extralongue	Lion Brand	Landscapes	n° 280
		Lion Brand	Wool-Ease Chunky	n° 140
		Lion Brand	Wool-Ease Chunky	n° 133
7	Cache cagoule corail et gris	Feza	Kid Mohair	n° 203
		Lion Brand	Cashmere Blend	n° 149
8	Faux-col avec pompons de fourrure	Lion Brand	Wool-Ease Chunky	n° 135
9	Col en chenille	Lion Brand	Chenille Thick & Quick	n° 146
10	Col bronze orné d'une épinglette	Berroco	Zen	n° 8222
		Heirloom	Breeze	n° 001
		Katia	Sevilla	n° 17
		Lion Brand	Glitterspun	n° 135
		Lion Brand	Suede	n° 126
		Knitting Fever	Flutter	n° 01
11	Élégant bracelet noir	Lion Brand	Lion Wool	n° 153

Projet		Fabricant	Type	Couleur
12	Bracelet perlé	Artfibers	Papyrus	n° 14
		Katia	Sevilla	n° 02
		Trendsetter	Eyelash	n° 5
13	Bracelet perlé à frange perlée	Katia	Sevilla	n° 17
14	Mini col châle	Lion Brand	Wool-Ease Chunky	n° 133
15	Mini poncho douillet	Lion Brand	Landscapes	n° 271
		Lion Brand	Wool-Ease Worsted Weight	n° 139
16	Boléro dentelle	Berroco	Suede	n° 3751
	avec col et manchette en fourrure	Tahki S. Charles	Muse	n° 14
17	Mini poncho à mailles lâches	Katia	Ola	n° 3
		Katia	Sevilla	n° 01
18	Mini cape en fausse fourrure	Lion Brand	Fun Fur	n° 153
		Lion Brand	Fun Fur	n° 191
19	Gilet de style ballet	Lion Brand	Cashmere Blend (Mélange de cachemire)	n° 101
		Lion Brand	Fur	
20	Ceinture écharpe	Berroco	Zen	n° 8222
	ornée de glands	Katia	Séville	n° 56
		Lion Brand	Wool-Ease Worsted Weight	n° 123
		Prisme	bonbon	n° 502
		Victoria Fils Anny Blatt	Celeste	n° 156
21	Ceinture feutrée avec garniture perlée	Lion Brand	Lion Wool	n° 153
22	Ceinture Vintage rose	Filatura Di Crosa	Zara	n° 1510
23	Brassards torsadés	Lion Brand	Cashmere Blend (Mélange de cachemire)	n° 105
24	Gants sans doigts	Filatura Di Crosa	Multicolor	n° 3053
		Kertzer	Truffles	n° 2144
25	Sac à main douillet	Bouton d'or	Norma	n° 050
		Colinette	Point Five	n° 89

Fils par fabricant

Fabricant	Type de fils	Couleur	Projet
Fibres artisanales	« Biscotti »	Orange brûlé (n° 15)	Collier dentelle
	« Houdini »	Vert/marron/bronze/or (n° 4)	Collier lacé près du cou
	« Papyrus »	Violet (pourpre) (n° 14)	Sautoir dentelle
			Manchette perlée
Berroco	« Suede »	Rouge fraise (n° 3751)	Boléro dentelle avec col et manchettes en fourrure
	« Zen »	Vert acide (n° 8222)	Écharpe spiralée
			Col bronze orné d'une épinglette
			Ceinture écharpe ornée de glands
Bouton d'or	« Norma »	Blanc (n° 050)	Sac à main douillet
Colinette	« Point Five »	Blanc, multi (n° 89)	Sac à main douillet
Feza	« Kid-Mohair »	Coraille (n° 203)	Col cagoule corail et gris
Filatura Di Crosa	« Multicolor »	Mélange de grenat (n° 3053)	Gants sans doigts
	« Zara »	Rose (n° 1510)	Ceinture Vintage rose
Gedifra	« Cubetto »	Mélange de rose, orange et violet (n° 1106)	Broche rose gardénia
Heirloom	« Breeze »	Blanc (n° 001)	Col bronze orné d'une épinglette
Katia	« Ola »	Blanc cassé (n° 3)	Collier à trois rangs
			Mini poncho à mailles lâches
	« Sevilla »	Noir (n° 02)	Bracelet perlée
		Bronze (n° 17)	Col bronze orné d'une épinglette
			Bracelet perlé à frange perlée
		Couleur cantaloup (n° 54)	Épinglette gardénia rose
		Vert lime (n° 56)	Écharpe spiralée
			Ceinture écharpe ornée de glands
		Blanc (n° 01)	Collier à trois rangs
			Mini poncho à mailles lâches
Kertzer	« truffes ou chocolat »	Grenat (n° 2144)	Gants sans doigts

Fils par fabricant

Fabricant	Type de fils	Couleur	Projet
Knitting Fever	« Flutter »	Blanc eyelash (n° 01)	Épinglette gardénia rose
Lion Brand	« Cashmere Blend »	Camel (n° 124)	Béret classique
		Gris anthracite (Charcoal) (n° 149)	Col cagoule corail et gris
		Bleu clair (n° 105)	Brassards torsadés
		Rose clair (n° 101)	Gilet de style ballet
	« Chenille Thick & Quick »	Violet profond (n° 146)	Col en chenille
	« Fun Fur »	Noir (n° 153)	Cape en fausse fourrure
		Violet (n° 191)	Cape en fausse fourrure
	« Glitterspun »	Bronze (n° 135)	Col bronze orné d'une épinglette
	« Landscapes »	Rasp. Patch (tache) (n° 280)	Écharpe extralongue
		Rose jardin (n° 271)	Mini poncho douillet
	« Lion Wool »	Noir (n° 153)	Élégant bracelet noir
			Ceinture feutrée/garniture perlée
	« Suede »	Café (n° 126)	Col bronze orné d'une épinglette
	« Article Tiffany 260 »	Rose clair (n° 101)	Gilet de style ballet
	« Wool-Ease Chunky »	Rose profond (n° 140)	Écharpe extralongue
		Citrouille (n° 630-133)	Écharpe extralongue
			Mini col châle
		Épice (n° 135)	Cache-col/pompons de fourrure
	« Wool-Ease Worsted Weight »	Rose bruyère foncé	Mini poncho douillet
		Seaspray (n° 123)	Ceinture écharpe orné de glands
Fils Muench	« Touch Me »	Saumon (n° 3642)	Épinglette gardénia rose
Patons	« Katrina »	Blanc (n° 10005)	Collier à trois rangs
Prism	« Bon Bon »	Vert céleri (n° 502)	Écharpe spiralée
			Ceinture écharpe orné de glands
Tahki S. Charles	« Muse »	rouge fraise bariolé (n° 14)	Boléro dentelle avec col et manchettes en fourrure
Trendsetter	« Eyelash »	Noir (n° 5)	Bracelet perlé
Fils Victoria Anny Blatt	« Celeste »	Sarcelle (n° 156)	Ceinture écharpe orné de glands

Techniques de tricot

par lesquelles vous devez commencer

L e tricot est un processus créatif qui s'appuie sur plusieurs techniques de base. Ces techniques sont illustrées et expliquées dans cette section, un genre de «tricot 101» qui entend démystifier les méthodes dont vous avez besoin pour passer du montage des premières mailles sur vos aiguilles (en utilisant ce superbe fil qui vous a inspiré dès que vous l'avez vu), à la réalisation finale du modèle que vous avez choisi et serez heureuse de porter ou d'offrir. Chacune des étapes du tricot doit être agréable, voire exaltante. Par contre, parfois, certaines instructions ne vous seront pas familières, sinon confuses, et vous aurez besoin d'aide pour bien les comprendre et les réussir. Vous trouverez donc ici chacune des techniques de base du tricot expliquées dans un langage simple et illustrées de photographies montrant de près les détails de chacune des étapes du processus. En plus, la section sur les «Mailles texturées» vous inspirera à essayer d'autres modèles. Finalement, vous trouverez dans cette section un tableau des abréviations, pratique à avoir sous la main, qui vous aidera à décoder le processus, faisant en sorte que chaque modèle soit facile à suivre.

Abréviations

rg	=	rang
altern,	=	Alternativement, tour à tour,
Comm.	=	Commencer ou commencement
Rab.	=	rabattre
Aig. aux. torsade	=	Aiguille auxiliaire torsade
Mont.	=	montage ou monter
Cont.	=	continuer
Dim.	=	Diminuer ou diminution
Suiv.	=	suivant
Aug.	=	augmenter
m. end.	=	Maille endroit
2 m. ens. end.	=	Tricoter 2 mailles ensemble à l'endroit
gliss. m. end.	=	Glisser une maille endroit
Aig. G.	=	Aiguille gauche
M1	=	faire 1 maille
Aig.	=	aiguille
m. env.	=	tricoter une maille envers
2 m. env. ens.	=	Tricoter 2 mailles envers ensemble
3 m. env. ens.	=	Tricoter 3 mailles envers ensemble.
Modèle	=	modèle
Gliss. m. par-dessus l'autre	=	Glisser la maille par-dessus l'autre
Gliss. m. env.	=	Glisser une maille envers

m. restante	=	Maille restante
Rép.	=	répéter
rg	=	rang
Aig. d.	=	Aiguille droite
End.	=	Côté endroit d'un vêtement
Surjet simple	=	Gliss. 1 m., 1 m. end., pass. la m. par-dessus
Gliss.	=	glisser
Gliss., gliss., 1 m. end./ gliss., gliss., 1 m. env.	=	Glisser, glisser, 1 maille endroit/glisser, glisser, 1 m. env.
m.	=	Maille(s)
m. jers.	=	point (maille) jersey
br(s)	=	brin(s)
tbl	=	à travers l'arrière de la boucle
ens.	=	ensemble
env.	=	envers d'un vêtement
fil	=	fil
fil n°	=	fil spécifique utilisé pour un vêtement
jeté	=	jeté

symboles

[ ]	=	Regroupe une série d'instructions
*	=	Marque le début d'une série d'instructions, habituellement répétée à la fin d'un rang

Montage

Le montage est le terme utilisé en tricot pour décrire le premier rang de mailles sur les aiguilles à tricoter, lequel rang formera la fondation de votre ouvrage. Il y a plusieurs méthodes de montage. Quelques-unes sont faciles (comme celles illustrées plus bas); d'autres sont plus difficiles; et enfin certaines sont préférables lorsqu'il s'agit de réaliser des aspects particuliers d'un ouvrage et peuvent être amusantes à explorer et expérimenter. Un mot d'avertissement: gardez les mailles lâches, pour qu'elles ne soient pas trop serrées lorsque vous y tricoterez le premier rang.

Libérez le bout de fil dépassant du bout de votre pelote, et faites-y une loupe afin de former un nœud à 10 ou 12,5 cm (4 ou 5 po) du bout du fil.

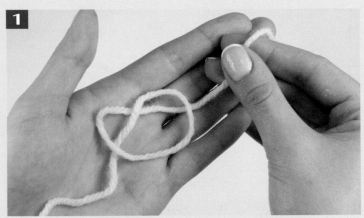

Insérez le bout de l'aiguille dans la loupe, et tirez graduellement le bout jusqu'à ce que vous soyez assurée que le nœud est bien sur l'aiguille.

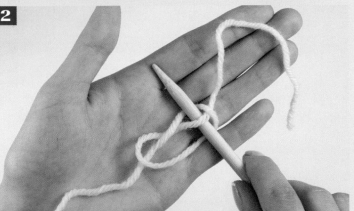

Tenez l'aiguille avec le nœud dans la main gauche, en laissant le bout pendre lâchement. (Ignorez ce bout pour l'instant; éventuellement vous l'incorporerez à même le tissage.)

En tenant l'aiguille laissée libre dans votre main droite, insérez le bout de celle-ci à la m. de l'aig. g.

Maintenant, tenez les deux aiguilles dans la main gauche, en utilisant votre pouce pour les garder en place.

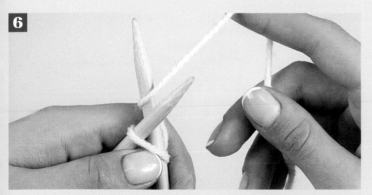

Avec le pouce et l'index droits, enroulez les fils que vous travaillez autour de l'aig. d. en partant de l'arrière vers l'avant dans le sens inverse des aiguilles d'une montre (à gauche et en haut, par-dessus et à droite), en finissant en tenant le fil comme démontré.

Placez l'index droit le long de l'aig. d. afin de maintenir le fil en place. [Les aiguilles doivent être maintenues à une distance l'une de l'autre d'environ 0,5 cm (¼ po).] Abaissez le bout de l'aig. d., puis relevez-la vers le centre de la m., en terminant avec l'aig. d. sur le dessus de l'aig. g.

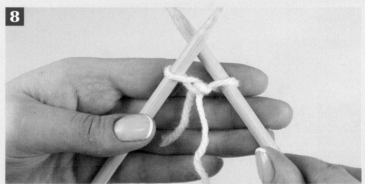

Bougez l'aig. d. vers la droite, et étirez doucement le fil entre les aiguilles, de sorte à créer un vide d'environ 1 po (2,5 cm).

Baissez le bout de l'aig. g. puis relevez-la vers le centre de la maille. Alors que vous tirez de nouveau le fil vers le haut contre les deux aiguilles, une autre boucle se formera sur l'aig. g. (l'aig. d. retourne alors à sa position originale derrière l'aig. g.). Vous avez maintenant deux m. sur votre aig. g. Répétez les étapes 4 à 9 jusqu'à ce que vous obteniez le nombre désiré de m.

Maille endroit

Maintenant que vous avez le rang de mailles formant la base de votre ouvrage, vous êtes prête à tricoter. La première règle pour bien réussir son ouvrage est de bien maîtriser la maille endroit. Vous serez heureuse de découvrir que plusieurs des étapes sont les mêmes que celles du montage. La plupart des nouvelles tricoteuses serrent trop leurs mailles. Appliquez-vous à tirer sur le fil de sorte à ce qu'il soit suffisamment tendu pour demeurer ajusté mais pas trop enserré sur les aiguilles. Ajustez la tension afin que vous puissiez insérer l'aiguille droite à l'intérieur de la maille et la manœuvrer facilement. Comme pour n'importe quel nouveau talent que l'on désire développer, toute maladresse disparaîtra au fur et à mesure que vous pratiquerez jusqu'à rendre vos mouvements fluides et automatiques.

1

Commencez toujours un rang en tenant dans la main gauche l'aiguille sur laquelle se trouvent les m.; la première maille doit être tenue à distance d'environ 2,5 cm (1 po) du bout de l'aiguille. Tenez l'autre aiguille, celle qui est libre de mailles, de même que le fil avec lequel vous travaillez dans votre main droite.

2

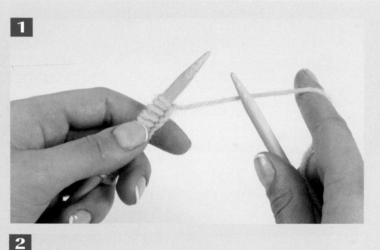

Insérez le bout de l'aig. d. à l'intérieur de la maille de l'avant à l'arrière, en terminant derrière l'aig. g. (il s'agit du même mouvement qu'à l'étape 4 du montage.)

3

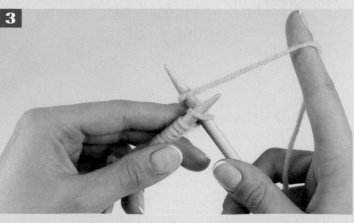

À l'aide de votre pouce et de votre index droits, tenez le fil avec lequel vous travaillez sur le côté droit et légèrement à l'arrière [soit environ à 5 cm (2 po) de vous] des aiguilles. Enroulez le fil sur l'aig. d. en procédant de l'arrière vers l'avant dans le sens inverse des aiguilles d'une montre (à gauche et en haut, par-dessus et à droite), en terminant avec le fil dans la position démontrée (comme à l'étape 6 du montage à la page 84).

Placez votre index droit le long de l'aig. d. afin de maintenir le fil en place. [Les aiguilles devraient être distantes l'une de l'autre d'environ 0,5 cm (¼ po)]

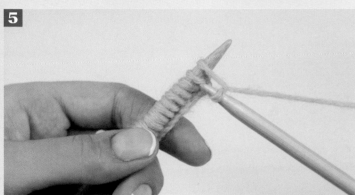

Abaissez le bout de l'aig. d., puis remontez-le en le faisant passer au centre de la m., en terminant avec l'aig. d. par-dessus l'aig. g. (comme pour l'étape 7 du montage).

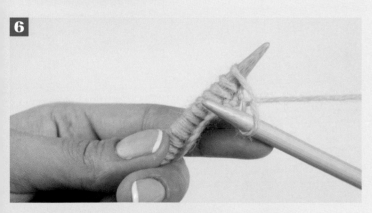

Faites glisser l'aig. d. vers le bout de l'aig. g. jusqu'à ce que la boucle tombe – une seule. Vous avez accompli votre première maille endroit.

Continuez en suivant les étapes 2 à 6 jusqu'à ce que vous ayez tricoté toutes les m. sur l'aiguille. Puis, retournez votre ouvrage de sorte à ce que l'aiguille où sont alignées les m. soit dans votre main gauche. (Rappelez-vous la règle : Commencez toujours un rang en tenant l'aiguille avec les m. dans votre main gauche et l'aiguille libre dans votre droite.) Lorsque vous avez réalisé plusieurs rangs, votre tissage devrait ressembler à la photo. Lorsque toutes les mailles de tous les rangs sont tricotées, le modèle ainsi réalisé est appelé point de jarretière.

Maille envers

La maille envers est l'autre élément essentiel de la plupart des modèles à mailles texturées. Si le nombre de mouvements est le même que pour la maille endroit, il y a deux grandes différences entre les deux types de maille: La position du fil que vous travaillez par rapport aux aiguilles et la manière dont l'aiguille droite est insérée dans la maille de l'aiguille gauche. C'est tout.

Si jamais vous jouez au tennis, vous savez que les coups de base sont le coup droit et le revers. Les chances sont que vous trouviez l'un de ces deux coups plus facile à réaliser que l'autre, qu'il coule plus de source. Mais pour le témoin non averti, le but des deux coups semble être le même – marquer des points. Réaliser des mailles endroits et des mailles envers est analogue aux coup droit et revers du tennis, en ce sens qu'ils sont les deux «coups» de base, et que tous deux ont le même dessin, c'est-à-dire créer des mailles, qui ensemble formeront une pièce. La plupart des débutantes se sentent un peu plus à l'aise avec l'un ou l'autre des deux types de maille (endroit et envers), mais après un certain temps, la différence devient à peine perceptible. Alors, si vous vous sentez un peu gauche au début et que vous trouvez difficile de vous rappelez laquelle est laquelle, soyez assurée que vous réaliserez éventuellement les mailles endroits et les mailles envers avec facilité.

Au lieu de maintenir le fil derrière les aiguilles comme vous le faites dans le cas des mailles endroits, faites l'inverse et tenez le fil devant les aiguilles pour réaliser des mailles envers. De même, au lieu d'insérez la pointe de l'aig. d. du devant à l'arrière de la maille qui se trouve sur l'aig. g., insérez l'aiguille de l'arrière à l'avant.

Faites une boucle du fil autour de la pointe de l'aig. d. en procédant dans le sens contraire des aiguilles d'une montre (à gauche et en haut, par-dessus et à droite).

Laissez l'aig. g. le long de l'index gauche pendant que vous glissez la pointe de l'aig. d. vers le bas et à travers le centre de la m. sur l'aig. g., en terminant avec l'aig. d. devant l'aig. g. Utilisez l'index gauche pour faire glisser la boucle vers la pointe de l'aiguille jusqu'à ce qu'elle tombe.

Vous venez de compléter votre première m. envers et vous avez maintenant une boucle sur votre aig. d. Répétez ces étapes jusqu'à ce que vous ayez réalisé chacune des mailles envers sur votre aiguille.

Cette photo montre l'envers d'un modèle de point jersey Remarquez que la texture est irrégulière et que les m. apparaissent ondulées à l'horizontale. Plus simplement, elles ressemblent à une succession de petites collines. Lorsque vous aurez tricoté plusieurs rangs, votre ouvrage devrait alors ressembler à cette photo.

Point jersey

Le point (maille) jersey (m. jersey) est réalisé en tricotant à l'endroit un nombre impair de rangs et un même nombre de rangs tricotés à l'envers. Le côté tricoté à l'endroit est plat, et le côté tricoté à l'envers est irrégulier (il ressemble à un point de jarretière).

Lorsqu'une pièce est entièrement réalisée en mailles jersey, ses bordures courbent. Ce qui ne constitue pas un problème lorsque c'est ce qui est souhaité ou lorsque la pièce sera jointe à une autre. Mais si vous désirez que votre ouvrage demeure plat, faites un point de riz ou faites une bordure à côtes afin d'éliminer ce retroussement.

Ceci est l'endroit d'un point jersey. La texture est plate, et les mailles semblent représenter l'envers. Si vous tenez votre tricot dans votre main gauche et que ce côté (endroit du point jersey) vous fait face, tricotez le rang suivant endroit.

Ceci est l'envers d'un point jersey. La texture est irrégulière et ressemble à un point jarretière. Si vous tenez votre tricot dans votre main gauche et que ce côté (l'envers) vous fait face, tricotez le prochain rang envers.

Côtes (endroit-envers)

Les modèles avec côtes se réalisent en alternant un nombre précis de mailles endroit et de mailles envers dans un même rang,

Ils donnent de l'élasticité à la pièce ainsi tricotée, utile lorsqu'une certaine extension est souhaitée : pour les tailles, les encolures, et les épaules des gilets, les chapeaux, les bas, etc. Il n'y a pas qu'un seul et même modèle de côtes. Mais le modèle que l'on retrouve le plus souvent pour les bordures est côte de 1/1 ou 2/2. Mais la maille côte ne sert pas seulement à faire les bordures. Ses diverses variations font d'elle une maille également appropriée pour tout un vêtement.

> ## ASTUCE
> Rabattez les mailles côtes du modèle (tricotez les mailles endroit puis les mailles envers) afin de maintenir l'extensibilité de votre pièce.

Cette photo est celle d'un modèle de côte 2/2, lequel est réalisé en tissant 2 m. endroit, et ensuite 2 m. envers, en répétant ainsi la séquence jusqu'à ce que le rang soit terminé. À partir de là, vous tricoterez les mailles endroit et les mailles envers. N'oubliez pas de changer l'emplacement du fil avec lequel vous travaillez, entre les aiguilles, lorsque vous alternez des mailles endroit aux mailles envers. Gardez le fil à l'arrière des aiguilles lorsque vous tricotez les mailles endroit puis à l'avant lorsque vous tricotez les mailles envers.

Ici, le modèle de côte 2/2 est étiré afin de bien montrer sa texture. Les mailles endroit ont l'air relevées alors que les mailles envers semblent plutôt rentrées. Lorsqu'elles sont non étirées, les mailles envers sont à peine visibles.

Relever les mailles

Le montage de nouvelles mailles n'est pas la seule façon d'augmenter le nombre de mailles sur une aiguille. On peut aussi relever des mailles le long de la lisière rabattue, à l'aide d'une aiguille à tricoter. (Cette méthode est souvent utilisée lorsqu'il s'agit d'ajouter une bordure.) Parce que vous voulez que cet ajout se mêle et s'intègre sans couture, commencez par choisir des mailles tout au bas et finissez par le haut. Ne relevez pas des boucles aléatoirement. Assurez-vous de sélectionner une boucle à chaque maille le long de la lisière rabattue de la pièce à laquelle vous ajoutez la bordure.

Pour commencer, examinez la première maille le long de la bordure afin de trouver la boucle la plus accessible. Puis, insérez votre aiguille à partir du haut, et glissez la maille à environ 2,5 cm (1 po) de la pointe de l'aiguille.

Enroulez le fil à travers l'autre aiguille dans la main droite, en laissant l'habituel bout de 10 cm (4 po).

Tirez le fil à travers la maille sur l'aig. g. avec l'aig. d.

Vous avez maintenant une maille choisie sur l'aig. d.

Insérez l'aig. g. dans la prochaine maille sur la bordure de votre pièce.

Enroulez le fil autour de l'aig. d., puis tirez le fil à travers la maille sur l'aig. g. Continuez de choisir et tricotez des boucles de chacune des mailles du morceau principal jusqu'à ce que vous vous retrouviez avec un nouveau rang de mailles. Lorsque vous avez terminé de choisir toutes les boucles, vous pouvez continuer.

Augmenter les mailles, jeté

Les deux méthodes les plus communes pour former une pièce tricotée sont soit d'augmenter, soit de diminuer le nombre de mailles en cours de tricotage. Même si il y a plusieurs façons d'augmenter le nombre de mailles sur une aiguille, le jeté est l'un des points que l'on retrouve le plus souvent dans les modèles proposés, probablement parce qu'il est très facile à faire et que son résultat est un œillet qui donne un style dentelle et ajouré.

Lorsque vous arrivez à l'endroit du rang qui demande un jeté, enroulez le fil autour de l'aiguille comme pour tricoter des mailles endroit, puis tricotez les prochaines m. Ce qui donnera une boucle supplémentaire sur l'aig. d.

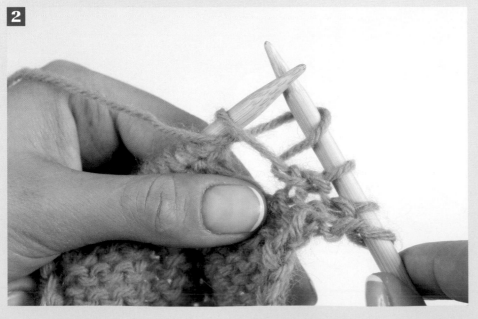

Sur le prochain rang, lequel est fait de mailles envers, vous arriverez à la boucle supplémentaire que vous avez créée dans le rang précédent. Faites comme s'il s'agissait d'une maille régulière, et tricotez-la comme une maille envers. Vous avez maintenant une maille supplémentaire.

Augmenter une maille entre deux mailles

Plusieurs tricoteuses ont l'impression qu'ajouter une maille entre deux mailles est l'un des meilleurs moyens de réaliser

une augmentation, car la nouvelle maille se mélange très bien avec les autres mailles.

Lorsque vous arrivez à un endroit dans un rang de mailles endroits qui demande que vous augmentiez le nombre de mailles entre une maille, étirez légèrement les aiguilles dans le sens opposé l'une de l'autre et repérez la ligne horizontale entre les mailles. Insérez la pointe de l'aig. g. d'avant en arrière sous cette ligne, et ramenez sur l'aiguille comme illustré.

Insérez l'aig. d. à l'arrière de la boucle, et tricotez une maille endroit. Vous venez d'ajouter une maille supplémentaire au nombre total de mailles que vous aviez.

Du côté envers, ramenez la ligne sur l'aig. g. de la même façon, mais tricotez une maille envers à travers l'arrière de la boucle pour créer votre nouvelle maille.

Diminuer une mailles, [surjet simple]

Comme lorsqu'il s'agit d'ajouter des mailles, en diminuer le nombre sur votre aiguille sert à façonner votre vêtement. Et là aussi, il y a plus d'une façon de procéder. Faites glisser les deux prochaines mailles comme si vous tricotiez des mailles endroit, ensuite insérez l'aiguille à l'avant de chacune des deux mailles, et tricotez-les ensemble. (l'abréviation est: gliss., gliss., 1 m. end.) sur le côté endroit; ou, pour le côté envers, faire la même chose que pour le côté endroit, mais en tricotant les deux mailles à l'envers (l'abréviation est: gliss., gliss., 1 m. env.).

Du côté endroit, lorsque vous arrivez là où une diminution de mailles est souhaitée, faites glisser les deux prochaines mailles comme si vous tricotiez des mailles endroit, une à la fois, de l'aig. g. à l'aig. d.

Insérez l'aig. g. à l'avant de chacune des deux mailles, et tricotez-les ensemble. Vous avez maintenant une maille en moins.

Du côté envers, lorsque vous arrivez à un endroit où une diminution de maille est souhaitée, faites glisser les deux prochaines mailles comme si vous tricotiez des mailles endroit, l'une à la fois, de l'aig. g. à l'aig. d. Insérez l'aig. g. par l'arrière de la boucle, et tricotez-les ensemble comme des mailles envers. Vous venez à nouveau de réduire d'une maille le nombre total de celles-ci.

Diminuer le nombre de mailles, endroit/envers, deux à la fois

Une méthode également souvent utilisée pour diminuer le nombre de mailles sur une aiguille est appelée tricoter 2 mailles endroit (ou envers) à la fois (ensemble). Les abréviations utilisées dans les modèles à tricoter sont habituellement 2 m. ens. end. (ou 2 m. ens. env.). À l'inverse de la méthode précédente, laquelle permet de réaliser des mailles dont l'inclinaison est à gauche, cette autre méthode crée des mailles dont l'inclinaison est à droite. En raison justement de cette différence dans l'inclinaison, les deux métodes sont bien souvent utilisées pour une même pièce, soit l'une d'un côté et l'autre de l'autre.

1

Du côté endroit, lorsqu'une diminution est nécessaire, tricotez deux mailles ensemble comme si elles n'étaient qu'une.

2

Du côté envers, lorsqu'une diminution est nécessaire, tricotez à l'envers deux mailles ensemble comme si elles n'étaient qu'une.

Mailles glissées

Qu'un modèle requiert qu'on laisse glisser une ou deux mailles est assez commun. Il y a deux façons de laisser glisser une maille – glisser à l'endroit (gliss. end.) et glisser à l'envers (gliss. env.). À la base, lorsque vous laissez glisser une maille, vous vous trouvez à la transférer de l'aiguille gauche à l'aiguille droite sans la tricoter, ni à l'endroit ni à l'envers.

((ASTUCE))
Si l'on vous demande de laisser glisser plus d'une maille mieux vaut le faire une à la fois plutôt que d'essayer de les regrouper.

1

Laisser glisser à l'endroit

Pour laisser glisser 1 maille à l'endroit, insérez l'aig. d. dans la première maille sur l'aig. g. comme vous le feriez pour tricoter une m. end., mais en la transférant simplement sur l'aig. d.

2

Laisser glisser à l'envers

Pour laisser glisser une maille à l'envers, insérez l'aig. d. dans la première maille sur l'aig. g. comme vous le feriez pour tricoter une m. env., mais en la transférant simplement sur l'aig. d.

Joindre un nouveau fil

Joindre un nouveau fil au fil que vous travaillez est aussi facile que de faire un nœud. Il peut être tentant de continuer à tricoter jusqu'à ce que la pelote soit totalement utilisée, mais il est important de toujours ajouter un nouveau fil au commencement d'un rang seulement. Autrement, le nœud et les bouts seront apparents. Cela vaut finalement réellement la peine de sacrifier un peu de fil si c'est pour rendre plus joli le vêtement que vous tricotez.

⟨ASTUCE⟩

Lorsque vous achetez plusieurs pelotes pour un projet, assurez-vous qu'elles sont issues du même lot. Les variations de couleur d'un lot à l'autre peuvent être importantes.

Incorporez le bout du fil à votre ouvrage en cours de tricotage au lieu d'attendre que celui-ci soit totalement fini. C'est moins fastidieux de cette façon.

1

Nouez le nouveau fil avec celui avec lequel vous travaillez, en laissant un bout d'environ 4 po (10 cm). Faites un nœud aussi près que possible de l'aiguille solide sans être trop serré.

Maille torsade

Une torsade peut paraître difficile à première vue, mais dans les faits elle est facile à réaliser. Il y a plusieurs variétés de torsades, mais elles ont toutes un dénominateur commun: elles sont composées d'un nombre égal de mailles, et la deuxième moitié d'une torsade est tricotée avant la première, habituellement du côté droit de votre ouvrage. C'est l'aiguille auxiliaire à torsade (aig. aux. torsade) qui rend possible la réalisation de la première moitié avant la première. Au contraire des aiguilles à tricoter régulières, lesquelles n'ont qu'une pointe et viennent en diverses grandeurs, les aiguilles à torsade ont une pointe à chacune de leurs extrémités et sont habituellement minces, ou larges ou très larges. Choisissez en une qui corresponde à peu près aux aiguilles à tricoter régulières que vous utilisez. La plupart du temps, les aiguilles auxiliaires à torsade sont fabriquées d'aluminium ou de plastique, et ont la forme d'un crochet ou bien ont une encoche en leur centre. Heureusement, les aiguilles à torsade ne sont pas aussi dispendieuses que les aiguilles régulières. Ce qui

vous permet d'en essayer quelques unes pour savoir lesquelles vous conviennent le mieux. Avant d'entreprendre votre projet, pratiquez-vous avec les aiguilles à torsade, jusqu'à ce que vous vous sentiez à l'aise de les utiliser. La clé pour réaliser avec succès des torsades est de suivre scrupuleusement le modèle. L'utilisation d'un compteur à rangs s'avère une nécessité. Personnellement, j'ai trouvé qu'il était utile de prendre des marqueurs à maille pour identifier les sections à torsade, pour m'assurer de ne pas les oublier. Un avertissement: ne soyez pas surprise du fait de trouver un peu difficile de faire un simple rang après un rang torsade. C'est normal et cela est dû au tressage des mailles. Deux types de torsades sont représentés sur ces photos: le gauche (devant) et le droit (derrière). Les torsades peuvent être réalisées à l'aide de n'importe quel nombre de mailles (tant et aussi longtemps que celui-ci est égal) et peuvent être aussi courts que longs, selon ce qui est souhaité. Le terme générique de «gauche» (devant) signifie que lorsque l'aiguille auxiliaire à torsade est maintenue devant l'ouvrage, les torsades ainsi réalisés «grimperont» à gauche. À l'inverse, lorsqu'il s'agit d'une torsade droite (derrière), réalisée en plaçant l'aiguille derrière l'ouvrage, la torsade grimpera à droite.

Torsade droite devant

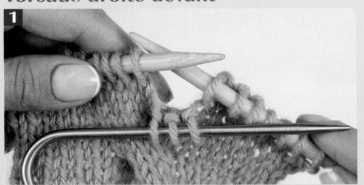

Dans un modèle à torsade, le rang où sont transférées les mailles de l'aig. g. à l'aig. aux. torsade est appelé le rang torsade. Après avoir transféré le nombre requis de mailles vers l'aig. c., laissez celle-ci maintenue à l'horizontal devant l'ouvrage.

Tricotez le nombre de mailles requis de l'aig. g.

3

Il y a deux façons de réaliser la prochaine étape. Tricotez les mailles directement à partir de l'aig. c. tel que démontré, ou transférez les mailles de l'aig. c. à l'aig. g. et continuez à tricoter comme à l'habitude.

4

Après avoir complété plusieurs ensembles de torsades d'un modèle, votre pièce devrait ressembler à la photo située sur la gauche. Remarquez comment les torsades courbent vers la gauche.

Torsade droite arrière

1

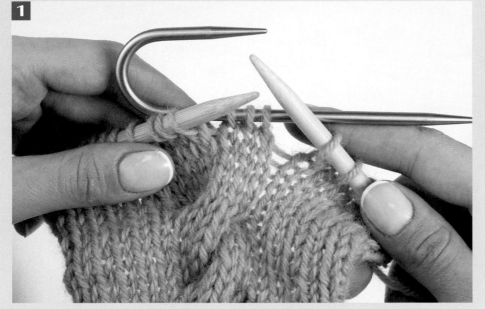

La seule différence entre la torsade droite (derrière) et la torsade gauche (devant) est l'endroit où est maintenue l'aig. aux. une fois que les mailles y ont été transférées – devant ou derrière l'ouvrage. Pour commencer une torsade droite (derrière), suivez les mêmes instructions que pour la torsade gauche (devant), mais placez l'aig. aux. derrière votre ouvrage.

2

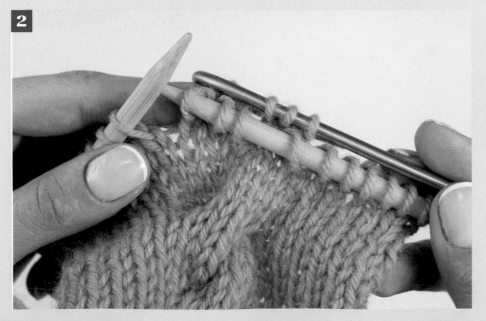

Tricotez le nombre de mailles requis de l'aig. g.

Il y a deux façons de réaliser l'étape suivante. Tricotez les mailles directement à partir de l'aig. c. comme démontré, ou transférez les mailles de l'aig. c. derrière à l'aig. g.
et continuez de tricoter comme à l'habitude.

Après avoir complété plusieurs ensembles
de torsade comme proposé par le modèle,
votre pièce devrait ressembler à la photo
sur la gauche. Remarquez que les torsades
courbent vers la droite.

Récupérer une maille échappée

Vous avez sans aucun doute déjà vu des tricots avec des trous pas très élégants. Ceux-ci sont le fait d'une tricoteuse qui a choisi d'ignorer une ou des mailles tombées, sans réparer l'erreur. Utiliser des protège pointes permet de prévenir ce type d'incident assez efficacement, mais malgré tout, la plupart des tricoteuses feront face à ce problème à un moment ou un autre. Conséquemment, vous ne pouvez vous en sortir et devez apprendre comment récupérer une maille tombée. Si vous laissez tomber une maille mais ne le remarquez pas avant un moment, vous serez alors peut-être mieux de faire glisser les mailles de vos aiguilles et de défaire les rangs jusqu'à l'emplacement de votre erreur. Ce qui peut être délicat si votre fil est glissant et que les boucles disparaissent aussitôt qu'elles ne sont plus sur les aiguilles. Si tel est le cas, choisissez l'option la plus sécuritaire, qui consiste à laisser les mailles sur les aiguilles et de les défaire une à une.

1

Comme vous pouvez le constater sur la photo, une maille tombée n'est pas très jolie. Occupez-vous du problème aussitôt que vous le remarquez.

2

Un crochet est un outil qui permet de récupérer les mailles tombées. Conservez en donc un dans votre boîte à tricot. Retrouvez la boucle malicieuse, et rattrapez-la par le bas avec le crochet comme démontré. Maintenant accrochez la ligne horizontale par dessus, et tirez-la vers vous à travers le centre de la boucle. La ligne est maintenant devenue une boucle.

3

Si la boucle est sur le même rang que le reste de votre tricot, amenez-la derrière sur l'aig. g. et continuez. Si vous n'êtes pas encore au haut, continuez la procédure de l'étape 2 jusqu'à ce que vous soyez au haut du rang.

Rassembler

Rassembler, c'est un peu comme croiser la ligne d'arrivée d'un marathon.

Si vous vous êtes rendue aussi loin, vous savez que vous avez terminé votre tricot.

Débutez à rabattre les rangs en tricotant les deux premières mailles. Insérez la pointe de l'aig. g. au-devant de la première maille (à droite) comme illustré.

Ramenez la maille sur l'aig. g. par-dessus l'autre maille et complètement par-dessus la pointe de l'aig. d., afin de lui permettre de tomber totalement. Ne vous inquiétez pas – votre maille n'est pas réellement tombée, elle ne fait que pendouiller.

Lorsque vous arrivez à la dernière maille, diminuez le fil avec lequel vous travaillez [en laissant un bout de 10 cm (4 po)]; puis étirez un peu la maille afin que vous puissiez la mettre facilement de côté par rapport à l'aiguille sans perdre votre boucle. Attrapez la boucle, et guidez le bout du fil vers le centre. Continuez de tirer le fil vers la boucle jusqu'à ce qu'il soit aligné le long de l'ouvrage. Faites alors un nœud sécuritaire. Ne faites pas un nœud trop rapidement, car vous allez étirer les mailles.

Finition : entrelacer les bouts au tissage

Entrelacer les bouts des fils au tissage fait partie de la finition de votre tricot. Pour éviter l'ennui d'être prise avec toutes les queues du tricot à la toute fin de votre ouvrage, entrelacez-les au fur et à mesure. À l'occasion, vous aurez à travailler avec des fils qui ne veulent pas demeurer en place. Utilisez alors une aiguille et enfilez-le de sorte à créer un point de bâti qui passera le plus possible inaperçu.

Enfilez une aiguille au bout émoussé avec le bout du fil, et glissez-le le long de la lisière du tricot comme illustré. Pour plus de sécurité, revenez sur vos pas en continuant de tisser le fil dans le sens inverse sur environ 2,5 cm (1 po), ce qui solidifiera le fil de façon à le maintenir bien en place. Coupez le fil excédentaire.

Finition : assembler les deux pièces du tricot

Les techniques de finition et les points de couture utilisés pour joindre deux pièces sont nombreux. Vous devez porter autant d'attention à la finition qu'au tricot lui-même. Pour un meilleur résultat, n'oubliez pas de bloquer les pièces si c'est ce que recommande le modèle. Le blocage se fait habituellement avant de procéder aux points de couture. Accordez suffisamment de temps pour que sèchent les pièces bloquées (soit autour de 24 heures) avant de les joindre l'une à l'autre. Cela vaut la peine d'attendre.

Pour joindre deux points mousse, enfilez une aiguille à bout rond avec le même fil que celui utilisé pour tricoter. Si les pièces ne sont pas de la même couleur (comme sur la photo), c'est à vous de choisir lequel des deux fils vous utiliserez, selon votre préférence. Même si les deux pièces peuvent paraître similaires des deux côtés, choisissez tout de même lequel des deux vous préférez montrer. Placez alors ce côté des deux pièces face à face. Alignez les deux pièces de façon à ce que vous puissiez passer le point de couture de l'une à l'autre, en faisant correspondre les mailles d'un point à l'autre En commençant par l'extérieur, insérez l'aiguille à travers la première maille au bas de la pièce qui se trouve dans votre main gauche. Dirigez alors votre aiguille dessus et dessous la maille du bas de la pièce qui se trouve dans votre main droite. Tirez l'aiguille vers le haut à partir du centre et faites-la ressortir au haut de la pièce. Tirez le fil de façon assez ferme pour que les pièces soient jouxtées l'une à l'autre tout en demeurant plates.

Continuez de travailler vers le haut et côte à côte entre les deux pièces en tirant le fil pour qu'il soit suffisamment serré afin qu'il n'y ait plus d'espace entre les deux pièces, mais sans tordre celles-ci.

Finition :
assembler un point jersey

Lorsqu'on travaille des pièces faites de m. jers., le côté plat est habituellement considéré
comme étant l'endroit. Après avoir enfilé une aiguille avec le bon fil, alignez les pièces.
Commencez avec la première m. au bas de la pièce, et travaillez vers le haut jusqu'à la
dernière maille du haut. La photo de gauche illustre quelle partie de la m. vous devez percer
lorsque vous allez à un point de couture. Encore une fois, tirez le fil assez ferme pour qu'il n'y
ait plus d'espace entre les deux pièces, sans pour autant que celles-ci se tordent.

Finition : assembler les coutures d'épaules

Lorsque vous assemblez les coutures d'épaules, vous devez travailler avec les bordures rabattues. Placez les deux pièces à assembler de sorte que les deux côtés end. vous fassent face et soient alignés côte à côte. Encore une fois, débutez au bas de votre ouvrage et terminez au haut, en faisant avancer l'aiguille d'une pièce à l'autre en assemblant les m. correspondantes. La clé pour assembler deux bordures pliées à l'envers est de ne pas travailler avec les m. repliées, mais plutôt avec les premières m. qui suivent ces dernières. Pour ce qui est de la pièce bleue, vous travaillerez avec le premier rang de m. situé à gauche de sa bordure. Alors que pour la pièce violette, il faut plutôt choisir les m. immédiatement à droite de la bordure.

✺ ASTUCE ✺
Bloquer

VAPEUR : Étendez la pièce du côté env. sur une surface matelassée, et couvrez-la d'un linge à repasser. Passez-y le fer à repasser en pressant légèrement. Déposez le fer précautionneusement, mais sans le faire glisser car cela étirera la pièce.

Cette méthode vous permettra de manipuler le tissage et d'obtenir la longueur ou la largeur que vous désirez. Cela permettra également de fixer les mailles et même d'en améliorer la qualité, ce qui donnera un air plus professionnel à votre tricot.

___

REPASSER LÉGÈREMENT À LA VAPEUR : Étendez la pièce côté endroit face contre une surface matelassée, et passez lentement le fer à repasser en faisant l'aller-retour, en le tenant à 2,5 cm (1 po) au-dessus du tricot. Ne jamais laisser le fer toucher le tricot. La vapeur seule fera en sorte que celui-ci prendra de l'expansion. Les lisières et les côtes demeureront plates. Cette méthode peut ne pas être adéquate pour les pièces plus grandes.

Mailles texturées

ajoutez de la variété et du plaisir à votre session tricotage

Commençons par la base : les mailles endroit et envers sont la base du tricot. Un vêtement peut être conçu en tricotant toutes les mailles à l'endroit ou toutes les mailles à l'envers. Mais la plupart des vêtements tricotés en combinant ces deux types de mailles – lesquelles sont sans fin.

Les deux mailles texturées de base sont le point mousse et le point jersey. Regardez un chandail. Habituellement le côté endroit est celui dont la texture est plate et le côté envers celui qui est plus valonneux. Contrairement à ce que vous pourriez vous attendre, le côté endroit est fait de mailles envers et le côté envers de mailles endroit. (Si vous trouvez cela un peu confus, ne vous inquiétez pas. Avec un peu d'expérience, ce ne le sera plus.) Chaque modèle de maille, peu importe sa complexité, est essentiellement fait de mailles endroit et de mailles envers. Dans les modèles de mailles utilisés dans ce livre, le nombre impair de rangs est habituellement le même, de la même façon que le sont le nombre de rangs pairs. (Règle générale, les rangs impairs et pairs sont l'opposé l'un de l'autre.) Habituellement, l'un des rangs d'un modèle est différent des autres. C'est lui qui permet de créer une texture donnée. Les modèles de mailles texturées se forment à partir d'un certain nombre de rangs. Pris ensemble, ces rangs forment un ensemble. (Aucun des modèles de maille dans ce livre ne propose un ensemble de plus de huit rangs. L'ensemble original est répété aussi longtemps que besoin est pour obtenir la grandeur désirée. En général, les ensembles sont complétés avant de passer à une autre maille. Il est donc nécessaire de garder en tête où on en est rendu avec le nombre de rangs. On doit porter une attention spéciale aux rangs particuliers. Les autres rangs peuvent souvent être simplifiés en utilisant ce conseil : tricotez les mailles endroit puis les mailles envers. Par ailleurs, certains modèles de mailles, comme le point riz et le point mousse, sont formées en procédant de la façon opposée. Tricotez des mailles endroit puis des mailles envers. Si vous prenez un moment pour analyser un modèle de maille, vous vous apercevrez que très souvent recourir à l'un de ces conseils vous permettra de reproduire le modèle efficacement. Une fois que vous aurez la piqûre du tricot, vous voudrez essayer d'autres mailles. Investissez dans un livre de référence sur le tricot, et commencez à apprendre par vous-même d'autres modèles de mailles. Lorsque vous aurez choisi une maille texturée – au début, il est préférable que vous vous en teniez à celles qui ne comportent que quelques rangs dans un même ensemble – pratiquez-la jusqu'à ce que vous veniez à bout des inévitables mauvais résultats. Puis, incorporez-la à votre prochain projet de tricot. Vous vous apercevrez que c'est extrêmement gratifiant d'augmenter votre répertoire.

Préparer une carte mémoire

D'avoir créer ce que j'appelle une «carte mémoire pour les mailles» m'a aidée à réussir les modèles de mailles structurées. Voici un pense-bête pour le point mousse :

Point de blé
Rang 1 : [1 end., 1 env.]
Rang 2 : [1 end., 1 env.]
Rang 3 : [1 env., 1 end.]
Rang 4 : [1 env., 1 end.]

(Répétez les rangs 1 à 4 du modèle.)

ENSEMBLES :

Après m'être amusée avec les polices d'imprimerie et les couleurs, j'ai imprimé mon pense-bête sur un papier carton, lequel est suffisamment robuste pour tenir dans un serre-papier. Armée de ce carton et d'un compteur de rang, je peux suivre de façon assurée et adéquate le modèle. Je remets à zéro mon compteur de rangs après chaque ensemble. Ainsi, je sais toujours où je suis rendue par rapport au modèle. (Bien sûr, n'oubliez pas d'utiliser le compteur de rangs.) Afin de garder le compte du nombre total de rangs réalisés, j'enregistre chaque ensemble de quatre rangs après que je les aie complétés (au crayon, afin de pouvoir réutiliser mon pense-bête).

Une autre façon utile de se rappeler où vous en êtes est de colorer selon votre propre code chacune des paires d'aiguilles. J'utilise du vernis à ongles de couleur voyante pour peinturer le bout de l'une des aiguilles, ce qui me permet de toujours monter sur l'aiguille ainsi colorée. (Pour les aiguilles circulaires, je colore la pointe de l'une des aiguilles à l'endroit où l'on attache la corde.) En utilisant ce système, je peux savoir en y jetant un coup d'œil si mon prochain rang doit être pair ou impair. Si les mailles se trouvent sur l'aiguille qui a été colorée, je commence par un rang impair, et à l'inverse, si les mailles se trouvent sur l'autre aiguille, je commence avec un rang pair.

Dans tous les cas, ne permettez pas aux erreurs de vous prier du plaisir d'apprendre un nouveau modèle de maille. Si vous en essayez un sans grand succès, consultez une autre ressource. Souvent, juste le fait que ce soit écrit différemment vous permettra de saisir l'astuce et de surmonter cet obstacle.

Point mousse

Cette maille est utilisée pour le col chenille de la page 28.

La maille jarretière est la maille structurée
la plus simple. Elle est réalisée en tricotant
à l'endroit chaque maille de chaque rang.
Les deux côtés de l'ouvrage ressembleront
au côté envers du point jersey (irrégulier).

Tous les rangs : M. end.

Point jersey

Cette maille est utilisée pour le gilet de style ballet (cache-cœur) de la page 52.

Le point jersey est réalisé en tricotant un nombre impair de rangs de mailles endroit et en tricotant un nombre pair de rangs de mailles envers. Du côté endroit, cela résultera en une surface plane, et du côté envers en une surface irrégulière.

Rang 1 : toutes les mailles end.
Rang 2 : toutes les mailles env.

(Rép. rangs 1 et 2 selon le modèle.)

JERSEY ENVERS POINT JERSEY

Ce point est utilisé pour le petit poncho au tissage large de la page 48.

Le point jersey envers est le contraire du point jersey. Il est réalisé en tricotant un nombre impair de rangs de mailles envers et un nombre pair de rangs de mailles endroit.

Rang 1 : Env.
Rang 2 : Env.

(Rép. les rangs 1 et 2 selon le modèle.)

Point de riz

Ce point est utilisé pour la ceinture rose de style Vintage de la page 62.

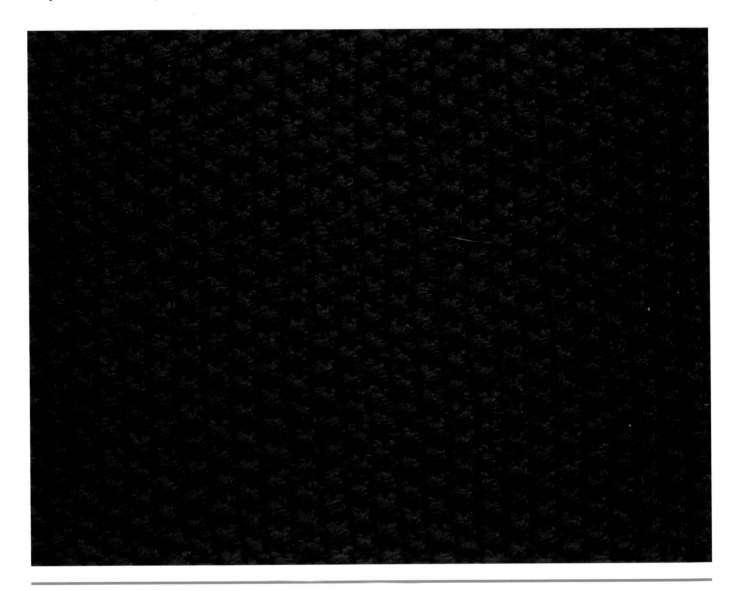

D'apparence délicate lorsque de petites aiguilles et du fil fin sont utilisés, le point de riz donne de l'élégance à n'importe quel type de tricot ou tissage. Lorsque des aiguilles plus longues et un fil plus fourni sont en revanche utilisés, la texture apparaîtra plus hachurée

(multiple de 2 m.)

Rang 1 : 1 end. ,1 env.
Rang 2 : 1 env. ,1 end.

(Rép. les rangs 1 et 2 selon le modèle.)

Point de blé

Ce point est utilisé pour le bracelet perlé avec frange perlée de la page 38.

L'allure «tweed» du point de blé est l'une des caractéristiques qui le rend attrayant. Il est souvent comparé au point de riz. Le point de blé est reconnu pour ses mailles verticales et hachurées, bien visibles, alors que le point de riz n'a qu'une apparence hachurée. (multiple de 2 m.)

Rang 1: [1 end., 1 env.] tout le rang
Rang 2: [1 end., 1 env.] tout le rang
Rang 3: [1 env., 1 end.] tout le rang
Rang 4: [1 env., 1 end.] tout le rang

(Rép. les rangs 1 à 4 selon le modèle.)

Point damier

Ce point est utilisé pour la ceinture écharpe avec pompons de la page 56.

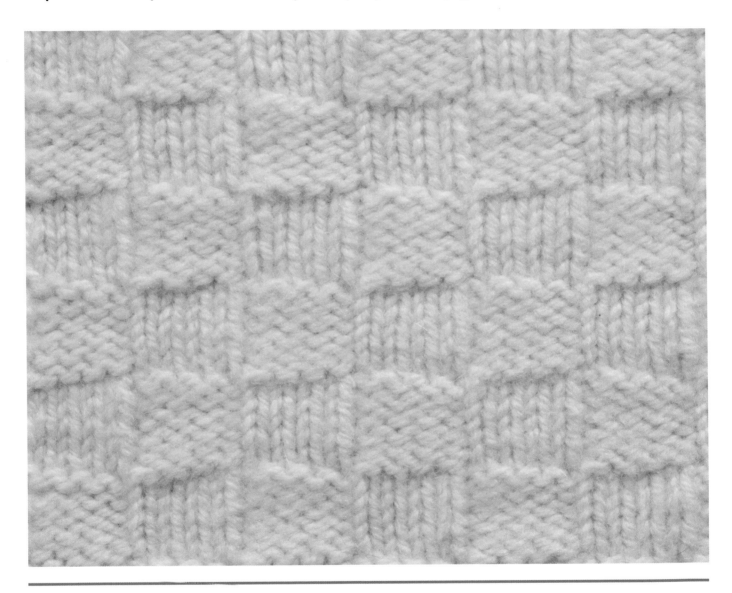

Le point damier donne l'effet d'un damier en alternant des groupes de mailles endroit et de mailles envers du même côté d'un ouvrage. Des carrés ou des rectangles peuvent ainsi être faits en ajustant le nombre de mailles et de rangs en fonction de la grandeur et de la forme désirées. Pour que le résultat soit symétrique, les boîtes de chacun des quatre coins devront être faits de la même maille (endroit ou envers) et de la même grandeur.

(Chacune des boîtes est composée de 5 m. de large et de 6 rangs de hauteur.)

Rang 1 : [5 end., 5 env.] tout le rg ; finir avec 5 end.

Rang 2 : [5 env., 5 end.] tout le rg ; finir avec 5 end.

Rang 3 : Même chose que le rang 1.

Rang 4 : Même chose que le rang 2.

Rang 5 : Même chose que le rang 1.

Rang 6 : Même chose que le rang 2.

Rang 7 : [5 env., 5 end.] tout le rg ; finir avec 5 env.

Rang 8 : [5 end., 5 env.] tout le rg ; finir avec 5 end.

Rang 9 : Même chose que le rang 7.

Rang 10 : Même chose que le rang 8.

Rang 11 : Même chose que le rang 7.

Rang 12 : Même chose que le rang 8.

(Rép. rangs 1 à 12 selon le modèle.)

Point côte 1/1

Ce point est utilisé pour le bracelet câblé de la page 69.

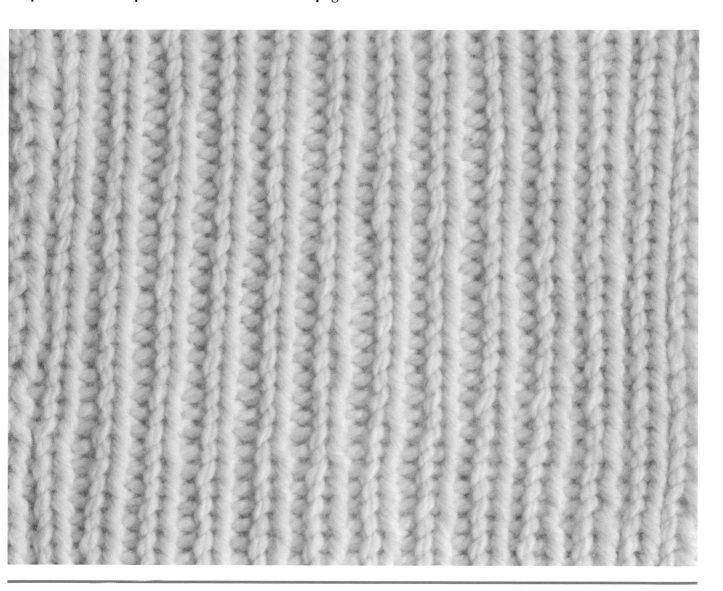

Il n'existe pas de modèle de côtes prédéfini. Après le premier rang de mailles endroit et de mailles envers réalisé, le motif est maintenu en tricotant des mailles endroit puis des mailles envers. C'est aussi simple que ça. L'extensibilité du point côte le rend idéal pour les bordures des vêtements et les endroits qui requièrent de l'extension. Le modèle le plus commun, un côte 2/2, se retrouve habituelle-ment aux poignets et au bas des gilets et est réalisé par 2 end., 2 env. Mais le point côte ne sert pas seulement aux bordures. Ces diverses variantes en font un point égale-ment apprprié pour un vêtement tout entier.

CÔTE 1/1

Si le tricot sur la photo n'était pas étiré, il ressemblerait davantage au côté endroit du point jersey. La plupart des autres points côte ressemble à une succession de rangs verticaux.

Rang 1 : [1 m. end., 1 m. env.]
Rang 2 : [1 m. env., 1 m. end.]

(Rép. Les rangs 1 et 2 selon le modèle.)

Point côte 3/1

Ce point est utilisé pour l'écharpe extralongue de la page 18.

Le point côte 3/1 crée dans le tricot un motif ressemblant à de larges «rails». Plus le fil utilisé est gros, plus les rails sont apparents. Ainsi, si vous désirez plus de subtilité, utilisez des aiguilles plus petites et un fil plus délicat.

Rang 1 : [3 m. end., 1 m. env.]
Rang 2 : [3 m. env., 1 m. end.]

(Rép. les rangs 1 et 2 selon le modèle.)

Combinaison d'un point torsade à quatre mailles et d'un point côte 1/1

Ce point est utilisé pour le bracelet câblé de la page 42.

À la fois sport et élégant, ce point requiert un peu d'expérience pour être bien réalisé. Les modèles de maille torsade varient en fonction de la position de l'aiguille torsade. Si vous tenez l'aiguille torsade devant, vos torsades monteront vers la droite, et à l'inverse si vous tenez l'aiguille derrière, les torsades ainsi réalisées auront une tendance vers la gauche.

4 mailles torsade droite (4 m. torsade dr.; utilisez 4 m. consécutives): gliss. les 2 prochaines m. sur l'aig. aux. torsade et maintenez-les à l'arrière de l'ouvrage. 2 m. end. de l'aig. g., ramenez les m. de l'aig. aux. torsade sur l'aig. g. dans l'ordre inverse, en faisant attention de ne pas emmêler les mailles, ensuite 2 m. end.

Rang 1: (end.): *[1 m. env., 1 m. end.] deux fois, 1 m. env., 4 m. end.; rép. depuis *; puis 1 m. env., [1 m. end, 1 m. env.] deux fois.

Rang 2: *[1 m. end., 1 m. env] deux fois, 1 m. end., 4 m. env.; rép. depuis *; puis [1 m. end., 1 m. env.] deux fois, 1 m. end.

Rang 3: *[1m. env., 1 m. end.] deux fois, 1 m. env., 4 m. torsade arr.; rép. depuis *; puis1 m. end., [1 m. end., 1 m. env.] deux fois.

Rang 4: Même chose que pour le rang 2.

(Rép. les rangs de 1 à 4 en selon le modèle.)

(multiple de 9 mailles + 5)

Maille torsade à six mailles

Cette maille est utilisée pour le petit poncho de très grosse laine de la page 42.

Par ses motifs élégants de tresse ou de cordage verticaux, le modèle torsade a plus de texture.

6 mailles torsade droite (6 m. torsade dr.; utilisez 6 mailles consécutives): Gliss. les 3 prochaines m. sur l'aig aux. torsade et tenez-les à l'arrière de votre ouvrage. Tricotez 3 m. sur l'aig. g., retournez les m. de l'aig. aux. torsade sur l'aig g. dans l'ordre inverse, en faisant attention à ne pas emmêler les n., puis tricotez les 3 m. suiv.

(multiple de 11 m. + 1)

Rang 1 et et tous les rangs impairs : 1 m. env., [2 m. end., 6 m. env., 2 m. end., 1 m. env.]
Rang 2 : 1 m. end., [2 m. env., 6 m. end., 2 m. env., 1 m. end.] .
Rang 4 : Même chose que pour le rang 2.
Rang 6 : 1 m. end., [2 m. env., 6 m. torsade droite., 2 m. env., 1 m. end.]
Rang 8 : Même chose que pour le rang 2.

(Rép. les rangs 1 à 8 en suivant le modèle.)

Point d'ombre

Cette maille est utilisée pour le col à capuchon corail et gris de la page 32.

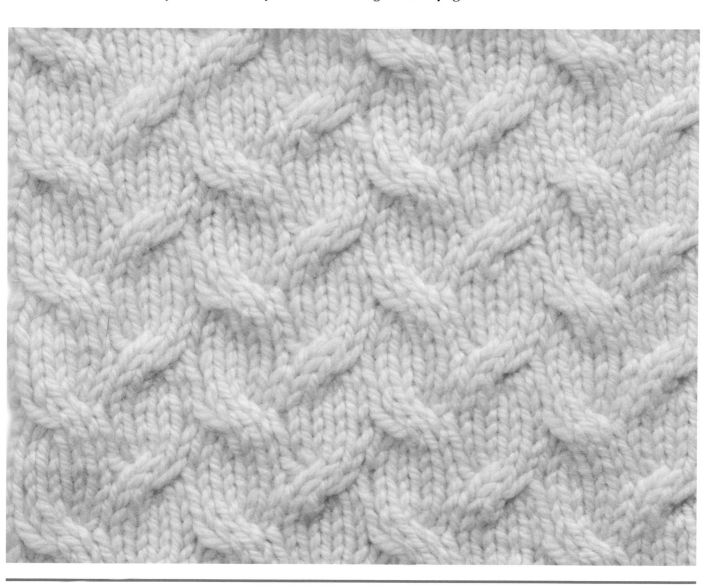

Ce qui rend intéressante cette maille légèrement texturée, c'est le tissage subtil des torsades qui ont presque l'air des ombres sur le tricot.

4 mailles torsade droite (4 m. torsade; utilisez 4 m. consécutives): Glissez les 2 prochaines m. sur l'aig. aux. torsade et tenez-les à l'arrière de votre ouvrage. 2 m. end. de l'aig. g., retournez les m. de l'aig. aux. torsade sur l'aig. g. dans l'ordre inverse, en faisant attention de ne pas emmêler les m., puis 2 m. end.

4 mailles torsade gauche (4 m. torsade. av.; utilisez 4 m. consécutives): Glissez les 2 m. sur l'aig. aux. torsade et tenez les à l'avant de votre ouvrage. 2 m. end. de l'aig. g., retournez

les m. de l'aig. aux. torsade sur l'aig. g. dans l'ordre inverse, en faisant attention de ne pas emmêler les m., puis 2 m. end.

(multiple de 8 m. + 2)

Rang 1 et tous les rangs impairs: m. env. ds.
Rang 2: (End.): 1 m. env. ds.
Rang 4: 1 m. end., *4 m. torsade arr.; rép. de * jusqu'à la dernière m., 1 m. end.
Rang 6: m. end. ds
Rang 8: 5 m. end., *4 m. torsade av., 4 m. end.; rép. de * jusqu'aux dernières 5 m., 4 m. torsade, av., 1 m. end.

(Rép. les rangs 1 à 8 en suivant le modèle.)

Maille bourgeon de crocus

Cette maille est utilisée pour l'épaulette dentelée avec col et manchette de fourrure de la page 44.

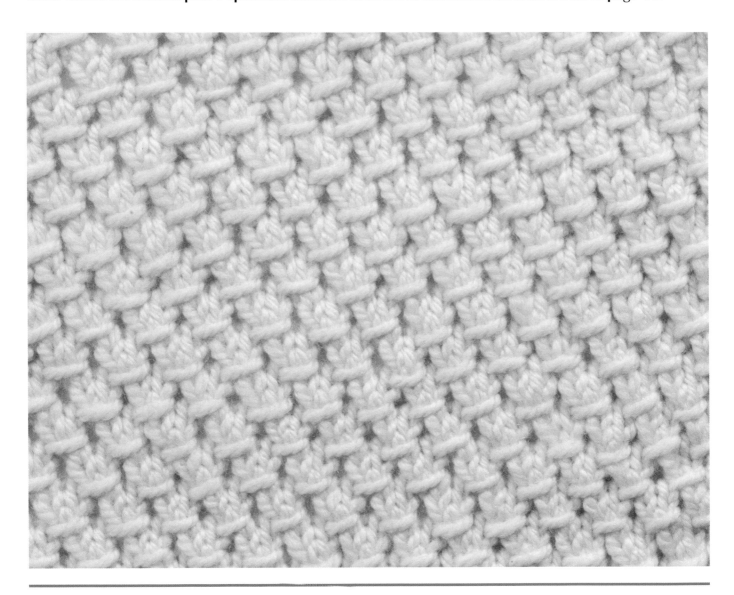

Il s'agit de l'une des mailles les plus charmantes, avec ses allures de délicat crocus. De petites pétales s'élèvent d'une petite ligne horizontale. Pris dans son ensemble, ce point fantaisie formera un genre de jardin sur votre tricot.

Jeté (j.): Après une m. end., amenez le fil au devant entre les aiguilles, puis à droite et à l'arrière de l'aig. d. Le fil est maintenant en position pour la prochaine m. end. Il s'agit de l'une des méthodes permettant d'augmenter le nombre de mailles dans un rang.

(multiple de 2 m. + 1)

Rang 1 : 1 m. end.; [1j., 2 m. end.]

Rang 2 : 4 m. env.; avec l'aig. G. amenez la troisième m. sur l'aig. d. par-dessus les 2 premières m. [3 m. env. avec l'aig. g. amenez la troisième m. sur l'aig. d. par-dessus les 2 premières m.]

Rang 3 : [2 m. end., jeté] jusqu'à la dernière m.; 1 m. end.

Rang 4 : [3 m. env.; avec l'aig. g. amenez la troisième m. sur l'aig. d. par-dessus les 2 premières m.] . Jusqu'à la dernière m.; 1 m. env.

(Rép. Les rangs 1 à 4 en suivant le modèle.)

index

Remerciements

Même si je suis identifiée comme l'auteure de Créez vos tricot, cet ouvrage est le résultat d'une étroite collaboration entre plusieurs personnes talentueuses qui ont fourni leur expertise et leur soutien au cours de tout le processus de développement. Je suis heureuse de pouvoir nommer ces personnes afin de les remercier pour leur contribution indispensable.

Un gros merci à Susan Haviland de Lion Brand Yarn Company qui a fourni généreusement un grand échantillonnage de fils à tricoter. Susan a aussi été assez gentille pour m'aider à respecter mon échéancier en tricotant elle-même le béret classique, même si elle avait aussi des échéanciers à respecter de son côté.

Merci à Kim Hanes, un autre ange qui est venu à ma rescousse. Très créative et expérimentée, Kim a conçu et tricoté deux projets de ce livre : le gilet de style ballet et les gants sans doigts.

Aussi, un grand merci à Karin Strom pour ses conseils professionnels et pour avoir amené les très talentueuses Eve Ng et Cheryl Krementz à participer à ce projet ; elles sont responsables de l'exactitude et de la clarté des instructions.

À Damian Sandone, dont les photographies mettent en valeur la beauté et le style de chaque création de ce livre, ainsi qu'à Halston Bruce, Sheila Fedele, Alberto Machuca, Diane Mellina, Wanda Melendez, Gabrielle N. Sterbenz, Lee Harper et Dana Robitz : merci d'être une équipe de pros si extraordinaire. Merci aussi aux mannequins Pat Tracey, Carina Wretman et Kimberly Piscopo de Wilhelmina Agency ; à Mayte Arguello de Major Agency ; à Maggie Sands de APM Agency ; et tout particulièrement à Molly Hinton, une étoile montante. Merci mille fois aux photographes Marta et Ben Curry dont les photos explicatives clarifient les rudiments du tricot, et tout particulièrement à Marta qui a accepté d'immortaliser ses talents et ses mains.

Glee Barre, graphiste principal de Creative Homeowner a fait un travail merveilleux dans ces pages, tout comme Stephanie Phelan qui a réalisé l'endos du livre. Merci aussi à Robyn Poplasky, photographe éditeur ; Diane P. Smith-Gayle, qui a dessiné les patrons ; et à Evan Lambert, qui a révisé les pages de Tricot en folie.

Je me dois de mentionner deux membres de ma famille qui ont contribué aux événements qui ont mené à la création de ce livre. Premièrement, j'aimerais remercier Kris Jeffery, ma belle-soeur, qui m'a rappelé à quel point j'aime le tricot et qui m'a inspirée à raviver mes talents de tricoteuse depuis longtemps négligés. À Linda Sims, ma soeur, je suis extrêmement reconnaissante des recommandations qu'elle a faites à mon sujet à son amie Carol Endler Sterbenz, rédactrice prin-

cipale, qui m'a fait vivre une expérience extraordinaire.

Il est impossible de louanger suffisamment Carol dont la créativité, l'expérience et les multiples talents
transpirent dans chaque page de cet
ouvrage. Je suis très reconnaissante
d'avoir eu la chance de travailler avec
une telle professionnelle, qui est aussi
une personne charmante, et pour qui
j'ai beaucoup de gratitude.

Je ne peux pas non plus passer sous
silence à quel point je me suis
appuyée sur les conseils mode et artis-
tiques de ma fille, Emily Larson, qui
m'a aussi aidée à concevoir et élaborer
ce projet. Mille mercis pour ton aide,
mais surtout pour avoir été ma plus
grande «fan».

Finalement, je suis très reconnaissante
à mon mari, Andy, qui a pris sur ses
épaules la logistique de notre maison

et de notre famille pour que je puisse
me consacrer à ce projet. Je n'exagère
pas en disant que sans son aide, je
n'aurais jamais pu écrire ce livre.
Merci de m'avoir soutenue en faisant
preuve d'altruisme et d'enthousiasme
au cours de cette expérience unique,
comme tu l'as fait au cours des
34 dernières années.

Autres titres de la collection chez Broquet
Inspiration artistique

19,95$. 128 pages.
ISBN 978-2-89000-993-6.

19,95$. 128 pages.
ISBN 978-2-89000-992-9.

Créez vos t-shirts

Créez vos jeans

Créez vos bijoux

Créez vos bijoux – Tome 2

19,95$. 128 pages.
ISBN 978-2-89000-995-0.

24,95$. 224 pages.
ISBN 978-2-89000-806-9.

24,95$. 96 pages.
ISBN 978-2-89000-805-2.

24,95$. 144 pages.
ISBN 978-2-89000-655-3.

Peinture sur verre

Initiation au vitrail

Peinture à l'huile

Vitrail – 15 projets faciles à réaliser

14,95$. 128 pages.
ISBN 978-2-89000-710-9.

24,95$. 96 pages.
ISBN 978-2-89000-867-0.

14,95$. 128 pages.
ISBN 978-2-89000-730-7.

14,95$. 128 pages.
ISBN 978-2-89000-711-6.

Ombre et lumière à l'aquarelle

Aquarelle

Peinture sur bois – Fleurs et textures

Peinture sur bois – Simplement nature

22,95$. 96 pages.
ISBN 978-2-89000-763-5.

22,95$. 96 pages.
ISBN 978-2-89000-705-5.

19,95$. 128 pages.
ISBN 978-2-89000-866-3.

24,95$. 128 pages.
ISBN 978-2-89000-778-9.

Le crochet

Créez vos cartes

Perspective artistique

L'artisanat avec du papier

24,95$. 192 pages.
ISBN 978-2-89654-006-8.

24,95$. 160 pages.
ISBN 978-2-89000-809-0.